Ouarzazate et mourir

DU MÊME AUTEUR

Banquise, Fayard, 1981
Nadine Mouque, Gallimard, Série noire, 1995
La revanche de la colline, Gallimard, Série noire, 1996
Vinyle Rondelle ne fait pas le printemps, Gallimard,
Série noire, 1996
La femme du chercheur d'or, Flammarion, 1997
Tarzan malade, Gallimard, Série noire, 1997
Les hommes s'en vont, Grasset, 1998

Hervé Prudon

Le Poulpe

Ouarzazate et mourir

Texte intégral

« A chaque jour suffit sa nuit. »

Raymond Grandjean

Tchang

L'homme assis prostré prosterné devant l'aube grise, à une sortie du métro Marcel-Sembat, à Boulogne-Billancourt, sous le regard contrit des passants alertes, puait. *Sui generis*. Cet homme défait, qui caressait un chien et l'épuçait, son propre chien peut-être, à la porte d'une boulangerie, près d'une bouche de métro, cet homme seul et sale, d'environ quarante ans, s'appelait Paul Navran, mais on l'appelait Tchang, eh ! Tchang viens boire un coup. Pas un héros mais une victime. Un martyr social et notre frère pouilleux. Un abrutissement politique projetait les hommes et les tribus les uns contre les autres. Combats de coqs et de titans. Ergots dehors, et crêtes, arêtes, angles, rocs, pics, coins secs, becs, saillies, tout était menaçant, tendu, érectile. Tout se dressait, se gonflait. L'achèvement de la verticalité est l'effondrement et l'explosion punit l'enflure. L'homme est un animal de lisière, il n'est pas un poisson au fond de l'eau, ni un oiseau dans les airs, il ne court pas à travers champs et dans la forêt il se perd. Mais à la fin du xxᵉ siècle l'homme a oublié cela. Tchang ne craignait rien, bien au-delà de toute crainte. Il avait connu la catastrophe que vous craignez, l'horreur pour vous, pour vos enfants, la suppression de vos retraites, l'humiliation, la vomissure, la pellagre et la pituite, le néant, la déchéance, l'enfer avant la mort, et la morsure des rats, et le nez qui goutte et tout ce qui vous guette au tournant, que vous votiez bien ou mal, que vous alliez ou non à l'église, que vous soyez bon ou mauvais, que vous ayez ou non un bon travail, que vous soyez soumis ou révolté, audacieux ou couard, parce que vous serez battu, bafoué, violé, niqué, anéanti, néantisé, néandertalisé au bord d'une bouche de métro, vous ou votre frère ou votre voisin, et votre femme perdra ses dents et votre fille ira se vendre et votre garçon dealera le crack et les chiens que vous maîtrisez, ces chiens vous pisseront dessus, et vous ne craindrez plus rien, tout sera arrivé pour vous et vos enfants jusqu'à la cinquième génération, alors que depuis cinq générations, la famille Krug fait vieillir ses champagnes dans des petits fûts de chêne, c'est écrit. Tchang se protégeait du froid, de la pluie, et du vent qui commençait à sortir de partout. Il pensait, s'il pouvait encore penser, que ce jour serait un jour comme un autre, mais il se trompait. Il s'était toujours trompé et les jours où il ne se trompait pas, c'était sa femme qui le trompait. Il n'avait plus de femme. Ce jour était un jour avec, et un jour sans, c'était un jour qui apportait du bon et du moins bon. Un sourire, une grimace, un éclat de rire, un caprice de pluie, un rayon de soleil. Paul avait des poux, des puces, le cul qui gratte et la queue qui goutte, c'était le matin, il avait dormi dans des cartons, porte de Saint-Cloud. Il avait émergé là, Marcel-Sembat, baba, un courant d'air l'avait suivi, rattrapé, coincé, lui avait pincé l'oreille, un sale coup de vent, sorti sur la place, peut-être bien venu de la Seine, par les avenues Morizet, de la République, ou bien le boulevard Jean-Jaurès, et la rue des Quatre-Cheminées, un vent tentaculaire et centripète comme une pieuvre spasmophile qui replie ses pattes sous sa tête brr, brusquement, en coup de vent, escamoté, et Tchang s'était pris cette pieuvre glacée en pleine tronche, sous les miches, partout. Paul avait un goût de cabillaud triste dans la culotte et de rat mort dans la bouche, il n'avait plus de ratiches, pas la peine d'acheter du dentifrice pour trois chicots indécrottables, et puis il ne roulait plus guère de patins à personne, quelques langues à son chien, pour la tendresse, et il avait besoin de lunettes, aussi, il ne voyait rien, presque rien, et c'était parfois, souvent, tant mieux, il aurait fini par voir des femmes, des jambes, des culs, des bouches, des seins, des passantes, il aurait désiré la femme, et c'était au-dessus de ses moyens, tout ça, la sexualité. Il ne levait pas les yeux, il regardait ses chaussures. Il paraît que William Burroughs est resté deux ans dans sa chambre à Tanger à regarder ses chaussettes, Tchang, qui ne lisait plus Burroughs ni Ginsberg, croyait pouvoir faire mieux, à Boulogne-Billancourt, sans chambre ni chaussettes.

Les conneries d'Antoine Blondin

La première surprise de la journée était arrivée à dix heures environ, quand le soleil était sorti sur le paillasson du boulanger, pour ouvrir à ce type, qui avait posé cent francs dans l'écuelle. Tchang avait été obligé, par courtoisie, reconnaissance, ou curiosité, de lever les yeux. Le type avait environ trente-cinq, quarante ans. Un beau manteau à col de loutre. Des semelles à couture norvégienne.

— Venez, Paul, on va boire un verre, ça nous réchauffera.

Paul s'était raidi, méfié, hostile. Pour tout le monde et les autres, dans la rue, depuis belle lurette, il s'appelait Tchang, ça lui venait de loin, du lycée, quand il était pro-chinois.

— On se connaît ? a-t-il lâché comme une perlouse.

— Croyez-vous ? a fait l'homme en riant.

— C'est vrai, a dit Tchang, on est pas du même côté de la rue, on met pas le même parfum et on fait pas caca dans les mêmes lieux. Moi j'ai vue sur l'amer, ah ah. Qu'est-ce que vous voulez ?

— Parler. On va dans cette brasserie ?

— Non, faudrait traverser, j'ai pas envie de traverser, on va aller chez Moune et Jean-Claude, un peu plus loin derrière, avenue Édouard-Vaillant. Parler, vous voulez ? Moi je sais pas parler.

Un petit rade bleu avion accroché à la grisaille d'une avenue de passage. Quatre ou cinq tables, deux trois ivrognes, une patronne cacochyme et phacochère, et son fils à museau sournois, un blond roux, en blue-jean coréen et pantoufles molles écrasées dans la sciure.

— On ne va pas s'arsouiller, a dit l'homme généreux. On a mieux à faire. Vous savez ce que disait Antoine Blondin : Quand je pense à tout l'argent que j'ai claqué au bistrot, si je l'avais encore aujourd'hui, je pourrais en payer, des tournées.

— C'est malin, les conneries d'Antoine Blondin, a dit Tchang, qui ne lit plus Blondin ni Sagan. Pour dire des conneries pareilles faut pas avoir le cul pelé rouge comme celui du mandrill, la hanche qui flanche et le genou qui gêne. Moi j'ai pas la sécu. Alors je m'arsouille si je veux, merci.

— Je te propose cinq bâtons, Tchang. Cinquante mille francs maintenant. Et la même chose demain, cent mille au total, de quoi te sortir de la gêne. (L'homme posa sa main sur l'épaule de Paul.) Tu entends, dix patates, tu pourras repartir du bon pied.

— Non. J'ai plus de bons pieds. Cent mille balles, O.K., je vais les prendre, mais je garde mes vieux pieds. C'est trop tard. Faut tuer quelqu'un ?

— Exactement.

— Pourquoi moi ?

— Tu es anarchiste de formation, si je puis dire, de vocation, conviction, et il s'agit de tuer un facho doublé d'un maquereau. Une ordure. Ça te va ?

— Je m'en fous. Un blanc moelleux, Jean-Claude.

— Tu n'as rien contre les juifs ?

— Pourquoi ?

— C'est un juif.

— Je m'en fous. Je veux un blanc moelleux.

Le blond roux apporta un blanc doux qu'il posa sur le comptoir froid. Paul approcha ses lèvres du liquide sans sortir ses mains de ses poches. La surface du vin dans le verre était bombée, convexe, on appelle cela un phénomène de ménisque, expliqua Paul, en lapant.

— Salopard, lança-t-il au blond roux. Tu fais ça exprès pour me faire chier, parce que je tremble à cause du froid. Tu veux que j'en renverse ?

— C'est même pas vrai, dit le blond roux, il tremble pas à cause du froid, vous pensez. Il fait que boire. C'est malheureux, un cerveau comme lui.

— Je tremble pas du cerveau, ça suffit, dit Tchang, et je ne tremble pas de peur, moi. Parce qu'il peut plus rien m'arriver. Je suis déjà mort. Arrivé au bout. Trempé. Glacé. Trépané de partout. Donne-moi un autre blanc.

— Ça suffit, dit le commanditaire. Tchang, sois à cinq heures ce soir à la borne de taxis devant le Monoprix. J'aurai l'argent en liquide, et toutes les précisions sur le contrat. La photo de notre client.

— Le contrat, dit Tchang en ricanant. Le client. Vous employez des mots mécaniques. Vous feriez mieux de rien dire. Vous voyez, monsieur Col de Loutre, la mouise, c'est toujours comme la Colombie ou l'Afrique, les filles se prostituent, les jeunes se défoncent, on accepte de tuer son frère ou son père pour trois fois rien, c'est le pays où la mort est moins chère, n'est-ce pas ? Vous croyez que c'est ailleurs mais c'est ici, c'est à côté de vous, presque en vous. Vous ne la sentez pas ? Ma pourriture, ou la vôtre ? Tout est pourri, du cul jusqu'aux neurones. Le foie, le cœur, les poumons. Les ratiches. C'est de la loutre ou du ragondin, ce col fourré ?

— Essaie d'être, sinon sobre, en état de fonctionnement. Apte au service. O.K. ? Je te dirai comment te servir de l'arme. Tu appuies juste le museau du flingue sur le cœur du client et tu pompes deux bastos et tu files, personne ne t'aura vu.

— Personne me voit jamais. Qui tu es ? demanda

Tchang. On se connaît ? J'ai des trous dans la tête, la mémoire qui fuit, on doit se connaître. Tu ne serais pas le docteur Jekyll ? Et moi mister Hyde. On se connaît ?

— Je te connais. À quinze ans, tu hésitais entre la boxe et la poésie. Tu plaisais aux filles. Tu avais du punch et de la grâce, tu promettais.

— Faux. J'ai jamais rien promis. Ce sont les autres qui m'ont promis, et puis après ils m'ont mis, ils m'ont trop mis. À ce soir, monsieur Col de Loutre, tout ira bien.

Le commanditaire sortit du café après avoir réglé les consommations, et le soleil est entré vite fait.

Monsieur Chatouille

J'ai passé la nuit chez Cheryl et ce matin-là le soleil brillait.

Dans sa petite maison à l'orée du bois, monsieur Chatouille dormait encore. Monsieur Chatouille avait des bras qui s'allongeaient, qui s'étiraient, qui s'étendaient... Monsieur Chatouille avait des bras incroyablement longs ! Monsieur Chatouille dormait à poings fermés et il rêvait. À quelque chose de très drôle sans doute, car il riait très fort.

— Tchang !

— Qu'est-ce qu'il y a ? Qu'est-ce qui se passe ? demanda Cheryl réveillée en sursaut, secouée par un tremblement de terre, alors qu'elle rêvait de chatouilles, de chatteries, de caresses, de câlins. Préviens avant d'éternuer.

Elle était furieuse, à poil sur la fourrure de la descente de lit. Une tête d'ours empaillée lubrique s'apprêtait à lui bouffer la craquette qu'elle s'était teinte en rose bonbon anglais. Cheryl n'est pas coiffeuse pour rien, il faut toujours qu'elle innove.

— J'ai pas éternué, dis-je, j'ai rêvé. J'ai rêvé d'un

ancien pote de lycée, Paul, qu'on appelait Tchang, il se noyait, il m'appelait, et j'avais beau tendre la main vers lui, je n'avais pas les bras assez longs pour qu'il prenne ma main, je n'avais pas assez de bras, pas assez d'amour, et il se noyait, et il m'appelait. Je crois que je vieillis, je deviens le corps mou, le cœur sec, j'ai plus beaucoup d'amour en moi, et j'ai de moins en moins de haine, évidemment. De moins en moins de révolte et de moins en moins d'enthousiasme. Et puis je ne bande plus aussi souvent qu'avant. Regarde ça. J'ai plus la wonderbite.

— C'est nul comme rêve, dit Cheryl, moi j'ai rêvé que tu étais monsieur Chatouille. C'était trop bon. Ta seule obsession dans la vie, c'était me chatouiller avec tes huit tentacules vicieux et fermes comme des petites langues. Mais tu parles, Gab. T'as des grands bras, des grandes jambes, des grands pieds, des grandes mains, une grande gueule mais c'est bien vrai que tu as la bite qui rétrécit. Parole de femme. Une femme ça sent bien ces petits riens.

— Petits riens ?

Cheryl ressemble un peu à une danseuse nue ou à une hôtesse d'accueil et elle parle comme une pute ou une harengère, mais elle est coiffeuse de métier, elle paie l'URSSAF et deux employées. Ceci explique cela. Au naturel, en jean et rangers, pull irlandais, bonnet de laine, sur les rochers de l'île de Groix, elle est plutôt bonne fille et on la croirait sortie de Jussieu, de Nanterre, du catalogue du Vieux Campeur ou d'une manif, mais sitôt rentrée à Paris, allez savoir pourquoi elle se tartine sur la tronche des crèmes, des onguents, des parfums. Elle se colle du skaï sur le cul, et des peaux de panthère rose, et des frous-frous sur le frifri, toute une frime. Et j'aime ça. Cette façon pas bégueule de joindre le futile à l'agréable.

Je me suis levé et j'ai écrasé la tête de l'ours. J'ai aidé ma meuf à se relever. Je lui ai passé un peignoir.

— J'ai lu un article dans *Le Réverbère*, l'autre jour. C'était le style de Tchang et je sais reconnaître un style. Et c'était signé Paul. Tchang s'appelle Paul Navran.

— Comme c'est navrant.

— Il est SDF.

— Et alors ?

— Et alors ? Alors t'es chiée, toi, tout est normal, toutes les catastrophes sont naturelles, le sida, le chômage, le capitalisme, les massacres, les famines, tout.

— Sauf toi. Toi t'es une erreur de la nature, je te jure, Gab, regarde-toi, des bras trop longs, des guiboles pas bien droites, un nez trop gros, on t'appelle le Poulpe c'est tout dire. Le poulpe c'est un céphalopode, ça marche sur la tête. Autant dire que tu penses avec tes pieds, que tu travailles du chapeau. Ton pote SDF j'en veux pas chez moi. Tu dis que tu n'as plus d'amour, taratata, c'est moi que t'aimes pas assez, mais tout ce qui est morveux, poisseux, pouilleux, crapoteux, merdeux, toute la misère du monde, tu l'aimes comme le pompier aime le feu et comme la mouche aime la merde. Tu ne veux pas que les choses s'arrangent. Tu as trop besoin de combats, de défis, pour te prouver ta vaillance et ton héroïsme mais ça tourne à la malvoyance et à l'hémorroïsme, et tu vires au vieux con bigleux qui nous casse le cul avec ses fromages AOC, ses potes ivrognes joueurs de belote et ses petits pavés d'arrière-cour où s'époumonent de concert des accordéons prolétaires et des bandonéons exilés. Au fond, t'es un vieux con machiste qui sait même pas danser. Un donneur de leçons et de coups de poing. Tu es incapable de rester immobile cinq minutes. Ton pote clodo, j'imagine qu'il sait rester des heures au coin d'une rue sans attendre personne. Il attend rien et il cherche rien et il est bien plus fort que toi.

— Tu lirais pas des livres orientaux en cachette ?

— Qu'est-ce que tu crois, dinosaure, que les boudins boudent Bouddha ? Va, tu vas être en retard au bistrot.

— C'est ça, va, tes clientes t'attendent, je devrais pas coucher avec une fille comme toi, une shampouineuse, une maquilleuse, une truqueuse, qui trafique les cheveux, qui vend des perruques, qui fabrique des fausses blondes. Mais c'est ainsi, tu es ma permanente permanentée, mon amante immanente, ma coupeuse de cheveux en quatre, ma Dalila des Lilas.

— Je mets une culotte noire ou une culotte blanche ?

L'enterrement de madame Morue

Peu avant l'hiver, j'avais reçu un mystérieux colis par la poste, et j'avais même suspecté une secte de m'envoyer un hameçon sous les naseaux, c'était un livre à couverture rouge de la Librairie d'Amérique et d'Orient, et je m'étais mis en tête de le lire, parce qu'il racontait le chemin de Jetsün Milarepa, un moine tibétain du XIe siècle dont la vie fut des plus exemplaires et dont on a dit qu'il avait renoncé à tout, même au renoncement et qu'il était détaché, même du détachement. Il me semblait que la lecture de la vie de Jetsün Milarepa ne pourrait me faire que du bien, parce que je m'écorchais à tous les coins du calendrier. Je montais sur mes grands chevaux, si un Lapon prenait froid j'éternuais et si un avion s'écrasait je partais illico rechercher les victimes. J'avais tout du chien d'avalanche, du saint-bernard à la con. Y compris le tonnelet de rhum. Cheryl venait de me rappeler à l'ordre. J'ai donc lu quelques lignes de la vie de Jetsün Milarepa, tout haut, en marchant, en calmant ma respiration dans ma poitrine, et je rêvais d'être un des plus fortunés parmi tous ceux qui avaient obtenu la vie humaine. J'aurais moi-même rencontré Marpa le traducteur de Lhobrak et obtenu de lui la doctrine qui permettait d'atteindre l'état de Bouddha en l'espace d'une vie. Et ayant entièrement rejeté toutes pensées mondaines, j'aurais passé ma vie dans un sévère ascétisme et dans la dévotion parmi ces solitudes, loin des habitations humaines. En renonçant aux jouissances triviales de la bonne chère, de la parure et de la gloriole, je me serais rendu vainqueur de cet ennemi, l'ignorance, pendant cette vie même. Parmi tous les hommes de la terre, j'aurais été l'un des plus courageux, ayant les plus hautes aspirations. Voilà comme j'emboîtais clopin-clopant le pas de Milarepa, avec une certaine perplexité et une remise en question de mon propre courage. Mon courage à la noix (de coco), mon héroïsme à la gomme, c'était jouer les Zorro frimeurs, œil de velours et triceps saillants, denture de carnassier et pine de mammouth. Je me rendais compte que je serais difficilement un type comme Milarepa, celui dont le corps est paisible, dont la parole et l'esprit sont calmes, et qui tient ferme les brides des passions ayant rejeté tous les désirs du monde, parce que j'avais furieusement envie de fumer et j'avais oublié mes clopes chez une coiffeuse prosaïque qui se lotionnait les fesses à l'huile d'amande douce, et que mon esprit ne serait pas en paix tant que Tchang me tracasserait comme un fantôme chinois dans la brume chagrine et grise des rues familières. C'était ce putain de Tchang qui m'avait adressé le livre de Milarepa, comme un encouragement à la sagesse et au renoncement. Il y avait cette dédicace en page de garde : « À Gabriel Le Couvreur, de la part de Tchang Le Découvert. » Putain de merde, c'était un appel à l'aide. Je ne comprenais rien. J'étais lourd. Vraiment le mec lourd, généreux, certes, serviable, et même plus, presque utile. Mais lourd. Au Pied de Porc à la Sainte-Scolasse, personne. Vous connaissez ce restaurant du XIe. On y cultive le truisme, l'altruisme, le pied de truie, l'infarctus, la cirrhose, le gibolin, le goudron, la petite musette, le cancer des poumons, du larynx, et chaque jour je me dis que je n'y remettrai plus les pieds, mais ce sont mes pieds qui m'y conduisent tout seuls. Tout seul, c'était le mot. Ni clients, ni patron, ni patronne. J'avais poussé la porte, salué la compagnie, et il n'y avait pas de compagnie. J'ai pris *Le Parisien* sur le comptoir et me suis assis. Il était neuf heures. Que certains habitués fussent partis travailler, pourquoi pas, il y a encore du travail, mais les autres, les retraités, les chômeurs, les mères au foyer, les feignants, les exemptés, les réformés, les réfractaires, les pituites et les glands, où sont-ils ? À la cuisine, personne, et à la cave, rien. J'ai gueulé, chanté, prié, en vain. J'ai contourné le comptoir pour piquer un paquet de Gitanes et j'en ai profité pour fouiller dans une pile de journaux. Non, non, non, oui. J'ai sorti un vieux numéro du *Réverbère*. J'ai retrouvé l'article qui m'intéressait, dans lequel un certain Paul abdiquait toute révolte et toute spiritualité pour ne plus aspirer qu'à des vêtements chauds, du vin chaud, un dîner chaud, un peep-show pour chaud lapin et une chaude pute pour choper la chaude pisse. Il disait que le XXIe siècle serait peut-être spirituel, encore fallait-il l'atteindre, l'an 2000. C'était signé Paul Le Découveur. J'ai pensé contacter l'équipe du *Réverbère* pour retrouver Paul. Et après ?

Crotte de chien

Lui offrir un repas chaud, du vin chaud, une cigarette, un petit pétard, et parler du bon vieux temps, les manifs, les années 70, les babas, les punks, le lycée, les joints, les filles. Lui présenter des copines de Cheryl. Et puis chacun retournerait à son destin foireux, mektoub.

— Condoléances toi-même, dit Gérard, en poussant sa bedaine morose derrière le comptoir. Madame Morue est morte. C'était l'enterrement. J'en viens.

Le taulier a sorti le costume du dimanche, la cravate noire, la chemise presque blanche. Depuis qu'il a cessé de fumer, Gérard prise une saloperie tunisienne qui le fait éternuer sur ses plastrons. C'est dégueulasse. Bientôt le troquet se remplit de têtes d'enterrement.

— Merde, dis-je, décomposé en posant son *Parisien* devant lui.

— On parle de madame Morue dans le journal ? C'était une figure, affirma Gérard. Elle avait son franc-parler. Et toute sa tête.

— Non, dis-je, un pote à moi, Tchang, il est mort.

C'est à ce moment-là que quelque chose s'est cassé, un ressort, j'en avais plus rien à foutre de l'imagerie, la symbolique et les regrets démocratiques.

— Tchang ? Rien sur madame Morue, alors ? Pas un entrefilet ? Un contre-filet ? Un petit mot faufilé là ?

— Tchang s'est tiré une balle dans une chambre d'hôtel à Boulogne. On a retrouvé des billets de cinq cents francs dans la chambre, et des traces de foutre sur les murs. Le mystère, c'est d'où il tirait l'argent. Le garçon d'étage dit qu'il a vu monter des filles nues. Il y avait du champagne et des miettes de canapés, des reliefs de petit gueuleton. La baignoire était pleine aussi, d'un bain moussant. Tchang portait des vêtements neufs, griffés, de qualité, des sous-vêtements en soie. Mais dans un bagage on a retrouvé des hardes, des frusques, des nippes de cloche et des préservatifs intacts. Tu sais quoi, Gérard, j'ai l'impression qu'il a trouvé un paquet de fric, et qu'il a voulu finir en beauté, ou plutôt en douceur, voluptueusement.

— Il aurait pu s'ouvrir les veines dans la baignoire. Ou se faire hara-kiri, ou glisser sur une crotte de chien comme madame Morue.

— C'est vrai. T'as pas tort. Qu'est-ce qu'il faisait avec un flingue ? Le flingue colle mal avec Milarepa.

— Qui c'est ça ? demanda Gégé l'obtus.

— Il faudrait savoir d'où vient ce flingue, poursuivis-je. Et d'où venait tout ce pognon. Je ne sais pas si Paul avait encore une famille, je crois pas, le corps doit être à la morgue.

— C'est quoi ces mômes ? dit Maria en poussant

16

la porte, un cabas à la main. Ils réclament un certain monsieur Chatouille. Ils sont scotchés comme des sangsues à la vitrine et tu dis rien, toi Gérard, nib ? Et l'autre grand poulpe, qu'est-ce qu'il a à faire sa tronche de tanche ?

J'avais besoin de marcher, je suis passé par le marché d'Aligre pour acheter un bouffi que j'ai croqué dans la rue puis je me suis dirigé vers Bastille, j'ai longé le canal et suis parvenu au quai de la Rapée en cinq enjambées.

Personne n'avait réclamé Paul Navran.

J'en voulais pas non plus ; Cheryl m'avait prévenu, pas d'importuns ; j'ai appris qu'il s'était tiré une balle de 22 dans la bouche et qu'il puait le parfum. J'ai demandé à l'employé de faction où étaient conservés les effets et accessoires trouvés en la possession du défunt. Ils étaient au commissariat de Boulogne. J'ai décidé d'aller d'abord à l'hôtel où Tchang avait passé ses dernières heures.

Rose cochonne

C'était un deux-étoiles propre, et agréable, route de la Reine. L'hôtel de la Reine. Pas un palace, pas un taudis, pas un Novotel frigorifique. Des murs rose cochon. La patronne s'appelait Rose et ressemblait à une cochonne. Elle était assise à lire un journal illustré dans le petit salon rose.

L'enquête de police était allée très vite, à partir du moment où l'on avait appris que Paul Navran, c'était navrant, était un SDF. La patronne de l'hôtel donc, une femme d'environ quarante ans, en minijupe noire et bas fumés, m'a regardé au fond des yeux pour me confier ce qu'elle avait appris de la bouche d'un inspecteur : Navran, connu des services de police sous le nom de Tchang, avait dû piquer une valise dans laquelle il avait trouvé une arme à feu et beaucoup d'argent liquide, et l'argent lui était naturellement monté à la tête, il était mort d'une indigestion de pognon comme certains rescapés des camps n'avaient pas survécu à une ingestion massive de denrées alimentaires trop longtemps attendues.

— Vous n'avez rien trouvé dans la chambre ?

— Qui êtes-vous ?

— Un ami de Tchang. Ce type, pour les flics, c'était une cloche. Pour moi, il reste Paul le magnifique, un ange noir des années 70. Au bahut, il était un caïd. Un révolté.

— Pfuitt, je l'ai vu, votre ami. Voici ce que je sais. Il est arrivé l'autre soir, vers sept heures. Ahmed a voulu le mettre dehors, comprenez, il puait vraiment, et il avait un chien, c'était deux vrais sconses, l'homme et la bête, on n'en voulait pas, à cause des autres clients, et puis on n'accepte pas les chiens, mais il a dégainé tout de suite une liasse de Pascal. L'argent n'a pas d'odeur. Il est monté avec son chien et Ahmed, qui l'a installé dans la meilleure chambre, et qui l'a lavé, monsieur, c'était pas du luxe. Deux heures plus tard il est redescendu avec son chien tout propre et c'était un autre homme lui aussi. Il était presque beau. Il est sorti faire un tour. Il est revenu sans le chien mais avec deux filles. On a compris qu'il voulait s'amuser. On aurait dit un chercheur d'or qui avait trouvé un filon et était descendu à la ville claquer son beau pognon avec le champagne, le whisky, les filles, tout ça. Il y avait quelque chose de joyeux, dans tout ça. D'innocent. On voyait bien qu'il avait été malheureux, votre ami, et on voyait bien aussi qu'il le serait toujours, et qu'entre deux malheurs, il s'offrait une petite embellie, une échappée. Il avait la tête du pochtron qui s'en sortira pas, du poissard. Vous me comprenez ? On aurait jamais pensé qu'il allait se tirer une balle.

— Ouais. Après s'être tiré deux belles... Vous avez été plutôt sympa. Merci pour lui.

— Vous avez l'air plutôt sympa vous-même. Vous voulez voir la chambre ?

— Est-ce bien nécessaire ?

— Vous m'avez demandé si j'avais trouvé quelque chose dans la chambre. Venez, nous serons plus tranquilles là-haut. Pour bavasser.

Le patronne a saisi une pochette sous le comptoir de la réception et m'a effleuré la main avant de me précéder. Dans l'escalier, j'ai eu l'impression de suivre le cul d'une pute. Elle a ouvert la porte avec son passe et précisé que c'était la plus grande chambre de l'hôtel, avec grande salle de bains, et très grand lit. Elle a posé sur le lit la pochette qu'elle avait montée.

— Ce sont quelques papiers et puis un livre. Je ne sais pas pourquoi, mais je n'ai pas pu les donner aux flics.

— Pourquoi ?

— C'est intime. Un sentiment. Quand les deux filles sont sorties de la chambre, dans la nuit, et qu'il fut seul, votre ami, il a demandé du champagne, que je lui ai monté, moi-même personnellement, et je suis restée avec lui. Vous comprenez ce que je veux dire. Il n'était plus si joyeux. Il avait comme un coup de bourdon, alors on a bu ce champagne ensemble. Je l'ai consolé, il pleurait. Il m'a montré cette photo. Regardez.

Gabriel prit la photo d'un type bronzé, belles dents blanches, une trentaine d'années, tunique blanche sans col.

— Qui c'est ? demanda Gabriel.

— Je ne sais pas, dit la patronne. Un maquereau, paraît-il. Votre ami devait le tuer, l'argent, c'était pour ça.

— Il n'a donc pas volé l'argent. Il a tué le type ?

— Non. Il avait le fric, la moitié de la somme, c'était suffisant pour faire ce qu'il voulait faire.

— Pour mourir ? Pas besoin d'argent pour mourir, ai-je dit, et pourquoi mourir quand on a dans sa poche le livre de la vie de Jetsün Milarepa traduite du tibétain par le lama Kazi Dawa-Samdup, et cette carte postale de Ouarzazate, qu'il a scotchée au mur, pourquoi ? Et s'il avait eu des projets ? Vous savez quelque chose ?

— Attendez, il a dit autre chose. Et je vous laisse tranquille. Il a dit col de loutre, c'est le poulpe.

— Col de loutre, c'est le poulpe. Ça veut rien dire. Le Poulpe, c'est moi. J'ai jamais eu de col de loutre, je vous jure, et ça fait vingt ans que j'ai pas vu Tchang. Ahahah... Tchang !

— Criez pas comme ça, ça le fera pas revenir.

— Je crie pas, j'éternue.

L'enterrement de Jean-Paul Sartre

La dernière fois que j'avais vu Léo Spitz, on était tous trois ivres morts à l'enterrement de Jean-Paul Sartre. Spitz, moi, et Tchang. On avait fini ça rue de la Gaîté dans des endroits sombres. Et ni Spitz ni Sartre ni moi n'étions ivres à l'enterrement de Tchang, une cérémonie bien vite expédiée, au cimetière de Boulogne-Billancourt, rue du Point-du-Jour. Pas de curé, pas d'officiels. Juste un trou, une caisse, un adieu. Pas de mots. Pas de fleurs. Basta.

J'étais venu en RER, jusqu'à Issy-les-Moulineaux et j'avais traversé la Seine. Il fut un temps, pas si loin, où Renault et sa population signifiaient quelque chose, dans ce coin de l'ouest parisien. À présent TF1 donne le ton de la modernité, et partout des boîtes de communication ont éclos, des boîtes de pub, des boîtes de consulting, de conseil, de spécialistes en marketing, merchandising, des concepteurs, des infographistes. Pour tenir le coup j'avais lu quelques pages du livre de Tchang au sujet de la vie de Jetsün Milarepa, traduites du tibétain par le lama Kazi Dawa-Samdup. Vous vous demandez, pour certains, qui était donc Jetsün Milarepa mais, en résumé, il était un être, qui, en l'espace d'une vie, obtint la Quadruple Personnalité et les Cinq Perfections qui constituent l'état omniprésent du Grand Vajra-Dahra. Il était celui dont la grâce et la miséricorde incessantes étaient répandues sur une multitude innombrable d'êtres sensibles, mettant sans cesse en mouvement pour le salut la Précieuse Roue de Vérité, les rachetant ainsi de l'inexprimable angoisse et douleur du Sangsara. Il était celui qui atteignit les dieux vivants dans la Cité de la Grande Délivrance où règne une indescriptible félicité, obtenant et développant en même temps le Quadruple Principe de l'Immortalité.

Voici ce que j'ai lu dans le RER et que je n'ai pas répété sur la caisse et le trou de mon ami Paul Navran, dit Tchang, qui ne croyait ni à Dieu ni à Diable et avait vécu dans le chaos, la révolte et l'insoumission avant de céder financièrement et physiquement pour enfin se tirer une balle dans un hôtel rose cochon tenu par une femme de quarante ans sur laquelle je ne m'étendrai plus.

Léo a regardé sa montre et m'a invité à déjeuner sur une péniche à la mode. Il y avait des sacrées salopes comme on en voit dans les magazines avec des cuisses maigres et des bouches grasses. Des filles de la télé qui se montrent dans les journaux ou des filles des magazines qu'on voit aussi à la télé si bien que tout ce monde se connaît et s'embrasse sauf vous, qui c'est ce plouc ? Je ne suis pas plus plouc qu'un autre et n'en dites rien à Cheryl mais je me suis déjà retrouvé au pieu avec quelques-unes de ces déesses, eh bien, c'était des braves filles tout ce qu'il y a de convivial sans chichis dans l'intimité. Mais je fais quand même partie des types avec qui les femmes préfèrent rentrer que sortir et là sur la péniche c'était Léo qui avait des yeux incroyablement bleus pour caresser les joues roses des filles, il était toujours incroyablement beau, bien qu'il eût changé, et que je ne prisasse guère les arabesques alambiquées de son langage chantourné ni cette façon d'essuyer une larme furtive et importune dans son col de castor en évoquant Tchang et les illusions perdues de notre jeunesse commune.

Il a commandé un duo de nouillasses yin et yang et navets minceur sur leur chafouinade avachie de brocolis ébouillantés et j'ai pris la même chose, mais sans Badoit, j'avais besoin d'une bonne bière, une boisson douce et familière.

— Tu comprends ce qui s'est passé, pour Tchang ? ai-je murmuré.

— Oui, je comprends tout. Un type lui a donné cinquante mille francs pour descendre un maquereau, Tchang a empoché les cinquante mille francs et le maquereau court toujours.

— Tchang s'est fait buter par le commanditaire ou par le maquereau ?

Léo poil de cul

Les yeux cyberlynx de Léo m'ont lancé deux rayons laser couleur bleu lagoon ice-cold.

— Il s'est vraiment tiré une balle et le commanditaire, qui a paumé cinquante mille balles, reste avec son maquereau sur les bras. Et c'est pas tout. Je ne sais pas ce qu'a bricolé Tchang mais le maquereau sait qu'il y a un contrat contre lui. Et enfin, il a peut-être un peu la mort de Tchang sur la conscience, le pauvre commanditaire. Parce que mine de rien, il a peut-être une conscience, et peut-être bien qu'il voulait aider Tchang, en lui filant ce contrat facile. Il pensait peut-être le sortir de la merde sans lui faire l'aumône.

— Eh bien, c'est fait, hein ? Il est sorti de la merde. Tu l'as sorti de la merde, sois content. Ta bonne action l'a mené direct au paradis. Qu'est-ce qui te chiffonne ? Tchang a pas été réglo, c'est ça ?

— Je suis passé devant Tchang cent fois sans le reconnaître, sans le voir, et puis un jour j'ai entendu sa voix. Je me suis retourné et j'ai baissé les yeux et je l'ai vu avec un chien. J'ai reconnu le chien, c'était pas le même bien sûr, mais le sosie du clébard de ses vieux, tu te souviens, un gros vieux caniche coiffé rastafarien. Je crois bien qu'il s'appelait Tintin, ou Milou, un nom comme ça. Je dois me débarrasser de ce type, le maquereau, alors j'ai pensé à Tchang. Mais maintenant que t'es là...

— Moi ? J'ai envie de te casser la gueule, Léo poil de cul.

— Tu aurais tort. J'ai aidé Tchang, il est mort en homme libre, en seigneur. C'est bien comme ça. Ce n'est pas ce que j'ai voulu. Mais c'est Tchang qui a décidé. Je peux t'aider, toi aussi.

— Il avait sur lui un plan de Marrakech.

— Oui. Il avait le choix pour effacer le maquereau. Soit à Paris, soit à Marrakech. J'accompagne un voyage d'étude, un séminaire, demain matin. J'avais fait passer Tchang pour un gourou. D'une certaine façon, je crois que ça m'amusait de mêler Tchang à ce monde de l'entreprise. Tous les jours, il a dû voir passer des secrétaires, des standardistes, des assistantes, des directeurs, des rédacteurs, des concepteurs, et il n'a jamais compris pourquoi ces gens quittaient leur lit pour sortir d'une bouche de métro place Marcel-Sembat. Je suis content de te revoir, toi.

— Dis-moi, Léo poil de morue, tu veux que je t'accompagne à Marrakech ? Tu veux faire de moi un tueur à gages ?

— Tu schématises. Je veux que tu prennes la place de Tchang. C'est ça l'important. Je retrouve un ami, je le perds, j'en retrouve un autre.

— Et tu veux me perdre.

— Je pensais aux conneries qu'on a pu faire ensemble... Je ne sais même pas ce que tu fais dans la vie. Mais t'as dépassé la date de fraîcheur. Moi tu vois, je suis dans la comm', et avant j'étais dans la pub, j'ai travaillé chez Séguéla, j'étais junior quand le slogan, « la Force tranquille », je l'ai trouvé en plein brainstorming. J'ai été marié, divorcé, remarié, séparé. Tu vois, le parcours de l'homme moderne, l'aventurier propre sur lui. Je me débrouille. J'ai été postbaba, néo-punk, et puis yuppie, et à présent zippy, pour zen inspired paranoïa professional, tu piges ? Moderne, quoi. Je me pousse au cul pour écouter de la techno, du new jack, du garage et de l'easy listening, du gangsta rap et toute cette soupe pimentée à la merde.

— Tu n'as pas changé. Tu crois à rien. Je pensais que tu deviendrais gigolo, avec une rombière vraiment dorée sur tranche. Je te croyais aux Bahamas. Ou bien dans la chanson. Mais toujours du côté des Bahamas ou Miami. Une sorte de Robert Palmer ou de Julio Iglesias.

— J'aurais peut-être aimé ça. Et puis je crois à quelque chose, vois-tu, au plaisir. Au fond je suis toujours un peu punk, no future. Je n'ai jamais guetté les lendemains qui chantent, j'ai chanté les tubes du jour, les chouchous de la semaine, je suis un homme karaoké ! Et toi, polpetto ? Tu n'as pas changé la vie mais la vie ne t'a pas trop changé. Il me semble que tu as le même blue-jean et les mêmes pompes qu'il y a vingt ans. Tu as toujours l'air d'un parachutiste égaré.

— Je n'ai pas cherché à m'élever socialement. Les hauteurs sociales me donnent un vertige nauséeux. J'ai touché un petit héritage et je peux vivre. Quand mes fonds sont en baisse je fais un petit réassort à ma façon. C'est comme vivre dans un hamac, dormir toute la journée, et puis quand j'entends un bruit qui me déplaît, ou quand j'ai une petite faim, je descends voir ce qui se passe, et je m'arrange pour faire cesser ce bruit ou pour satisfaire mon appétit.

— On m'avait dit que tu étais une sorte de justicier.

— Faut pas croire ce qu'on dit ou ce qu'on lit dans les livres. Il faut vraiment descendre un type ?

— Il le faut, Gabriel. Ce type est un proxo dégueulasse et dangereux. C'est moi qui l'ai démasqué. Il s'est servi de notre groupe de comm' et des relations que nous développons depuis cinq ans avec les pays du Maghreb pour faire son trafic. Il fait circuler des petites filles de douze ans. Il approvisionne des bordels arabes.

— Nous parlons d'un meurtre, Léo, d'un assassinat ? Tu as déjà tué quelqu'un ?

— Jamais. Je te jure, Gabriel, jamais. Et toi ?

— Ouais, parfois j'ai dû. C'était pour sauver ma peau. Là c'est différent.

— C'est pourquoi tu seras défrayé. Cent mille balles. Je suis sûr que tu as besoin d'argent. Tout le monde a besoin d'argent. Pense à Tchang. Tu sais, après le Maroc, j'aurais une autre affaire à te proposer, quelque chose de moins sordide. On oubliera la mort de Tchang, et le nom du proxo, et on rêvera ensemble, Gabriel. Je t'ai retrouvé, mon ami.

L'Apollon lapon du lapin lippu lapa
le lait pâle à la pine opaline au pôle sexe

J'ai passé une mauvaise nuit. Au lieu de rentrer à mon hôtel de la rue de Charenton, ou chez Cheryl, je suis d'abord allé boire un petit gorgeon chez Sainte-Scolasse, juste une petite mousse. C'était tellement familial, tellement dégoulinant de fraternité digestive et de bonne conscience repue que je me suis mis à engueuler Gérard, puis Maria, et quand Vergeat a pointé son nez piqueté, je n'avais plus qu'à me barrer en lançant c'est pas qu'il est tard mais on s'emmerde ici. Gérard a dit c'est ça et il a claqué la porte derrière moi, et je l'ai entendu fermer le verrou. Je me suis retrouvé à la rue. Je croyais que Cheryl dînait avec des copines, des copains, des coquins, qu'est-ce que j'en savais, moi, si des coquins pinaient avec ma Cheryl, alors j'ai zoné. De bar barbare en zinc zinzin et de comptoir crade en rade sex tex mex dura lex je me suis retrouvé à Bastille où j'aurais dû reprendre la rue de Charenton par le début pour arriver à mon hôtel à la fin et ne plus penser à rien mais j'ai eu une petite envie d'huîtres, je suis allé chez Bofinger et je n'ai pas pu entrer. Pas à cause du monde, de la foule, pas à cause de la quantité des gens qui attendaient leur tour de table, mais à cause de la qualité de ces gens. Tellement propres, rasés, ou pas rasés, bohèmes, donc, pour certains, artistes, grands ducs, trouducs, et d'autres, cadres, super cadres, patrons, étrons, poltrons, avec nanas, super nanas, super nénés au balcon, super pouffes, et champagne, olives dénoyautées, chips. J'ai regardé l'écailler qui reniflait au-dessus des fruits de mer. J'ai eu envie de m'asseoir de l'autre côté de la rue et de penser très fort à Tchang et j'ai fait comme j'en avais envie, je me suis calé le dos contre une poubelle et j'ai tiré un vieux carton sur mes cuisses et j'ai regardé la rue de la Bastille comme je ne l'avais encore jamais vue. Je ne sentais pas le froid mais c'était ma première nuit dehors et je n'avais pas peur du froid parce que je travaillais avec filet, je pouvais aller me pieuter au chaud quand je voulais. Tchang ne devait plus avoir peur non plus, il pouvait mourir quand il le voulait. Je n'y comprenais rien, ou bien c'était trop simple. Pour ne plus penser à la dangereuse douceureuse simplicité des choses je me suis répété des mots sans queue ni tête et une queue est apparue puis une sorte de tête c'était l'Apollon lapon lapant du lapin lippu le lait pâle à la pine opaline au pôle nord. Sud. Sexe. Le mot a éclairé la rue. J'ai eu envie d'une piscine bleu turquoise avec des filles à poil suçant des pailles fluo plantées dans des milk-shakes. Banane. Je me suis dit, bingo, c'est un vrai désir de pauvre, ça, de mouiseux miséreux misérable. Un rêve de con qui ne sait même plus quoi rêver. Un rêve d'affiches, un truc d'abruti métropolitain. Et puis j'ai vu Cheryl sortir de chez Bofinger avec sa copine Lulu et deux gandins que je ne connaissais pas. Je me suis déplié fissa, debout vite, écartant les cartons, bousculant la poubelle, j'ai rattrapé les deux clowns et les deux pétasses, excuse-moi partenaire, et j'ai claqué les deux blancs-becs parce que ça me faisait du bien, j'avais envie de ça, distribuer des claques, envie d'injustice, de grossièreté, de brutalité d'ivrogne hétéro-plouc, claquer un peu ces petites joues roses et fraîches comme des derrières de bébé, et puis pan pan sur les pimpants cuculs, et Cheryl m'a arrêté non, Gabriel, non, arrête, t'es complètement fou. Les deux filles ont consolé les deux garçons qui se consolaient très bien tout seuls. J'étais en train de cogner comme un beauf sur deux zomos pas bien costauds. J'ai dit ça va, et je suis allé manger mes huîtres en laissant Cheryl en colère avec ses amis effarés, j'avais gâché leur soirée, je paierai ça, tôt ou tard, j'étais un peu pété, je suis rentré manger mes huîtres, et puis je suis sorti les vomir et après je suis allé boire une bière quelque part avec quelqu'un mais je ne me souviens plus si c'était vraiment de la bière, où la scène avait lieu, et avec qui j'étais. Une belle blonde il me semble. Mais je me suis réveillé dans ma chambre d'hôtel rue de Charenton avec une casquette en plomb et j'ai trouvé dans le verre à dents un préservatif usagé et une perruque blonde sous mon oreiller.

Le Poulpeux

Il était sept heures du matin et la nuit me poissait la tête. J'ai pris une douche, une deuxième, j'avais vraiment envie de fuir, filer, glisser comme le savon vert dans les doigts sans dire au revoir à Cheryl, sans prendre un café noir chez Sainte-Scolasse, sans saluer le soldat inconnu, alors je me suis souvenu de Marrakech et c'était bien comme ça, in cha' Allah. J'avais tout fait pour ne pas y penser plus tôt parce que Marrakech, le désert, l'avion, mon passé, mes amours, le fil des jours, la nostalgie, Tchang, Léo, Gabriel le jeune Poulpe, piccolo polpetto, ça me foutait la trouille, mal au bide, poil aux rides. Je ne savais pas plus ce que j'avais fait depuis bientôt quarante ans que ce que j'avais pu foutre cette nuit. Je ne savais pas si j'étais victime ou coupable, héros ou bourreau, ou simplement témoin. J'étais dans le pâté, dans le potage, dans le putride. Vous croyez me connaître un peu, j'ai dénoué des affaires, éclairci des mystères, j'ai redressé des torts et tiré des sonnettes d'urgence, j'ai dit aux uns comme aux autres leurs quatre vérités, mais je me suis bien gardé toujours de regarder dans le miroir. Et encore plus dans le rétroviseur. On m'appelle le Poulpe mais ce matin-là je me sentais poisseux, crapoteux, crapuleux, scrofuleux, adipeux, en un mot, poulpeux, excusez-moi du peu. D'ailleurs j'avais le ventre mou. J'ai pensé à Tchang et au petit cimetière de la rue du Point-du-Jour et j'ai eu envie de pleurer et j'ai fait comme j'avais envie. Je ne savais pas pourquoi j'obéissais à Léo Spitz, je n'avais rien à faire à Marrakech ou Ouarzazate, sinon me glisser dans la peau de Tchang, mais ce n'était pas la peau de Tchang, c'était le costume que Léo lui avait offert, et qui s'était révélé un costume en sapin. Je ne savais plus rien sur Tchang, sur Léo, ni sur moi. Il fallait que j'aille à Marrakech pour en savoir plus, mais Marrakech, ce n'est rien, la porte à côté, juste un saut de puce. Ce qui était à mes antipodes, c'était la « communication », l'agence, l'équipe, le business, l'entreprise et l'homme moderne auquel s'adressent toutes les pubs. C'était aussi partir à soixante-dix clampins, braillards embermudés joyeux, le convoi des braves, à l'assaut des souks. J'ai beaucoup été marginal, rêveur, à voyager les yeux fermés dans un avion qui n'existe qu'en pièces détachées dans un hangar de l'Oise, et je savais que Tchang était la réalité, je savais que Léo était la réalité, que la pluie froide de novembre était la réalité, et je sentais des fissures dans cette réalité-là, des brèches, des lézardes d'où sortaient des chimères et des monstres, des sirènes, des sorcières et des fées, de nouveaux instruments de torture et des langues de putes et des injures de millions de bébés en colère. J'avais la trouille et la nausée et je bandais, et peut-être je bandais de dégoût, de trouille et d'effroi. Et je riais, je pleurais et je bandais. J'en étais tout secoué et je me suis mis à danser tout nu dans la chambre, en secouant ma vieille bite, ma vieille peau, mon vieux ventre. Il me semblait que j'avais un rendez-vous important avec ma propre réalité. Et je me suis souvenu de ce qu'avait écrit Robert Louis Stevenson dans *Réminiscences* : « *Sans doute suis-je né avec cet incommunicable émoi qui toujours m'étreint devant la réalité, cette impression de je ne sais quoi de pathétique au cœur des choses, faite de deux éléments accouplés : une attraction et une horreur sans bornes.* » Je me gavais de mots, et je me payais d'affaire en affaire comme un VRP qui prend sa commission, un pro-xéno ou un imprésariète, mon petit pourcentage mesquin, minable, mes gages de domestique, de valet du Bien, de la Justice et du Peuple de Gauche, ma petite taxe au voleur ajoutée, tu parles, j'étais même pas un vrai voleur, à la façon du Voleur de l'anar-chiste Georges Darien, et je n'étais pas plus l'abbé Pierre que Jules Bonnot. J'étais juste le cousin gau-cho de SAS Malko Linge. L'alternance faite homme.

Ils ont bâché ces matins nus
que rien n'allume

J'avais donc accepté les conditions de Léo. J'allais faire ce que devait faire Tchang, je reprenais le rôle au pied levé. Me faire passer pour un animateur de stage, et accompagner une soixantaine d'employés au Maroc pour un séminaire de communication. Une fois sur place je pourrais tuer un maquereau indési-rable. Je ne suis pas plus un tueur à gages que Tchang ne l'était. Et Tchang n'avait pas rempli son contrat. Et moi je ne voulais tuer personne. Je voulais juste reprendre la vie de Tchang là où il l'avait laissée et voir où une vie comme ça vous mène.

— T'as bien dormi ? a demandé Léo, plus inquiet que poli.

— Quand la ville dort, pour moi, tout dort, c'est profondément ce qu'on demande à la mort, non ?

— Tu es joyeux. On va boire un café, avant de rejoindre le groupe ?

J'avais pris un tacot rue de Charenton, et j'étais à Boulogne. J'avais fourré quelques fringues en vrac dans un gros sac mou et j'étais fin prêt. J'avais l'impression de fuir. Fuir Paris, fuir Cheryl, fuir Sainte-Scolasse, fuir l'hiver. Et moi-même. Il était con, Tchang, il ne devait vraiment plus croire à rien, et avoir de la merde dans les yeux. Avec dix patates il pouvait s'en sortir. Il pouvait continuer vers l'Atlas, les montagnes, et derrière, l'Afrique de plus en plus noire.

— On va boire un café, ai-je dit.

— T'as mis ta tenue de baroudeur, d'explorateur ! m'a lancé Léo moqueur.

— Où est ton col de renard ?

Dans la grisaille du matin gris on avait l'air de deux acteurs dorés sur tranche dans un spot, un clip. Léo faisait du bruit en me parlant de l'entreprise, la comm', la pub, le B. to B., les diverses activités, la rue des Entrepreneurs, les gens, rebondir, c'était le mot clé, avec complexité et transversalité. Et pendant ce temps-là un perroquet du Gabon gueulait sur un perchoir derrière le comptoir, il disait Papa Gaillot, Papa Gaillot en me fixant avec des yeux ronds comme si j'étais l'ex-évêque d'Évreux en personne. Léo avait tout oublié de Tchang, et je lui ai demandé où il se mettait, Tchang, sur cette place Sembat, c'était où, son trou, son carré, et il m'a montré la boulangerie, de l'autre côté de l'avenue Édouard-Vaillant, la bouche de métro, et il y avait déjà un autre clochard, avec un chien, peut-être bien le même chien, le chien de Tchang. On a bu nos cafés et on est passés devant le chien de Tchang, ou un autre chien, le chien de personne, et j'ai regardé le type de quarante ans assis là si las qui regardait le

30

type qui avait regardé son chien et on se demandait qui de nous trois avait le plus de puces.

— On va être en retard, a dit Léo.

Cette chose, être en retard, c'était quelque chose, ça a fait rire le clochard, et moi aussi, par la bande, je ne suis jamais en retard, je n'ai pas de montre, je n'ai pas de rendez-vous ni d'horaires, pas de patron, et je pense que la meilleure façon d'avoir un train, c'est de rater le précédent. J'étais repris par le syndrome Tchang, comme hier devant Bofinger, j'avais envie de m'asseoir là entre le clochard et son chien. Il me semblait qu'il y faisait plus chaud qu'ailleurs et bien sûr je me trompais, mais j'aimais bien quand même cette impression furtive, c'est comme rêver de cocotiers, c'est beau et quand on est sur la plage de la carte postale c'est tout différent, le sable est gris, et ça pue, et les moustiques vous font chier et les indigènes ont l'habitude de chier sur la plage. Le clochard a tendu la main vers moi et dans ma main il y eut soudain un papier froissé. J'ai acheté le papier cent francs, Léo m'a dit t'es dingue, et sans m'occuper de lui, j'ai lu le papier dans la rue, après que le clochard m'a crié qu'il était poète comme Villon et moi riche comme Crésus. Les temps étaient durs et les gens aussi, et surtout durs d'oreille. Mais l'oreille est hardie et l'amour est la faim du monde. J'ai lu.

« Ils ont bâché ces matins nus que rien n'allume
ils sont venus tondre la brume avec l'enclume et le
couteau
inventer de nouveaux noms pour l'innommable
inventorier les bateaux sous la lune le bétail dans
l'étable
et les éléments disponibles en stock d'un bonheur
rentable
ils se sont assis à la table où nos pères prenaient
leurs repas
ils étaient chefs et sous-chefs de rayons d'escadrons
d'escadrilles tous gais lurons et joyeux drilles

rock rigodon valse et quadrille ils connaissaient les pas de deux

de l'infanterie et de la forfanterie et le juste prix de l'héroïsme populaire ils étaient hommes de caractère et femmes de tête

portant culotte dresseurs de lions chasseurs de tête

de linotte et culs de plomb ils avaient soumis les populations paresseuses

à leurs petites volontés de contremaîtres ils avaient faits des enfants bien fermes à des femmes achetées et ces enfants gouvernent avec le fusil et le compas qui définissent

le champ circulaire du possible et la distance réglementaire d'évasion impossible. »

— À quoi tu penses ? a dit Léo, courroucé, ombrageux.

— Pas à toi. Les gens sont durs d'oreille mais l'oreille est hardie, et quand l'information passera, quand ils soulèveront les lourdes paupières invisibles qu'ils ont sur leurs putains d'oreilles en panne, ils entendront gronder la mer. Je pense que Tchang citant Éluard disait qu'il faut passer sa vie à la recherche de ce qui ne déshonore pas la poésie.

Éluard était communiste

— Éluard était communiste, c'est dire. Regarde, le car est déjà là. Sois fantaisiste, O.K., donne-toi à donf, mais délire pas trop quand même. Tu vois, joue-la soft.

— Tu me montreras le proxo.

— Il ne voyage pas avec nous. Il est déjà sur place. Tu as un costard dans ton sac, un truc clean, et léger, une cotonnade ou un lin ?

— Non, dans mon sac j'ai d'autres sacs, avec des trous pour la tête et les bras et les jambes, on appelle ça des habits, mais je ne sais pas dans quelle matière on les a coupés ni le nom de la dame ou du monsieur qui les a fabriqués.

— Joue le jeu, please. Sinon tout va rater et on ne s'amusera plus du tout. Tu veux pas aller en vitesse t'acheter une ou deux chemises Lacoste ? Tiens, prends ça.

Léo m'a glissé un froissement de billets dans la main, comme le clodo m'avait filé son poème. J'ai pensé qu'on était tous sourds et très maladroits, très lourds, très lents. Plus agités qu'agissants. J'avais entendu trop tard les claquements de dents de Tchang. Et à cause de ça, cette faute, ce manquement, j'étais à Boulogne ce vendredi matin sur le trottoir froid, entre un car de voyage et une agence de communication, au milieu d'un amoncellement de sacs et de valises. Sur certaines, des destinations, des noms, des mots vides de sens, des lettres flashs, Bangkok, Mirabel, Fly, Los Angeles, Jet, Kaboul, Istanbul, moule-boules, boules Quies, Kiss Cool, Speed, Fun, Brisbane, Rouletabille, Ray-Ban, Murrayfield, Ladysmith, n'importe quoi, attachez vos ceintures, ceinturez vos attaches, et jetez-vous dans le ciel liquide. Si la compassion a un sens, il fallait que j'aille dans ce sens, pour Tchang, et pour moi, pour comprendre. Pour savoir. J'avais accepté d'être la merde à qui une merde propose dix bâtons de merde pour tuer une autre merde. La rue, la dèche, la manche, c'était une chose, une chute, une glissade que j'avais déjà envisagée en d'autres temps. Envisagée ou dévisagée ? C'était juste une figure de style, une pose, une supposition théorique. À vot' bon cœur, tu parles : j'étais un privilégié, un nanti, un benêt pseudo-anar, un anar nanar, un anti nanti. Un rebelle à la Sainte-Scolasse, sainte-tiédasse, sainte-putasse. Je n'avais rien à voir avec ces travailleurs joyeux et excités comme des puces qui allaient s'entasser dans ce car destination Orly puis dans cet avion destination Marrakech puis dans cet hôtel et sous ce soleil et je n'étais pas un esclave, moâ, j'étais libreux, moâ, je me la jouais héroïque fantaisiste comme un gamin en panoplie de Zorro. À mon âge. Pim pam POUM, j'aimais l'anarchie et les Républicains espagnols des années 30 comme les jeunes filles d'aujourd'hui aimaient Brad Pitt après avoir aimé Tom Cruise tout en célébrant la mémoire de James Dean, Jim Morrison et Kurt Cobain. J'étais tout autant fasciné qu'eux par la mort violente et le suicide. Il aurait mieux valu chanter *la Ballade des Cinq Conditions de Bien-être* de Milarepa :

« Seigneur ! Gracieux Marpa ! je me prosterne à tes pieds !

Rends-moi capable de renoncer aux buts de ce monde.

Ici dans la Grotte du Milieu de Dragker-Taso,

Sur le plus haut lieu de la Caverne médiane

Moi, le Yogi tibétain nommé Repa,

Renonçant à toutes les pensées de nourriture et d'habillement

Et tous les buts de cette Vie

M'applique à gagner l'état parfait de Bouddha. »

Bouffon ! J'entendis mon vieux pote Tchang ricaner de moi pour l'éternité.

— Je vous présente Tchang dont je vous ai parlé, dit Léon, demain, il vous prendra en main.

— Chic, murmura quelqu'un.

— Chiche, minauda quelqu'une.

Pas de chichis pour chouchou

— Fais-toi chouchouter, a dit Léo.

Pas envie. Il y avait bien trois quatre gredines émoustillées à l'idée de passer un week-end loin de leurs familles, mais de façon moins libidinale, la soixantaine de personnes que je voyais là m'interrogeait profondément. Une étude du sociologue Renaud Sainsaulieu menée pendant six ans auprès de quatre-vingts entreprises et au travers de plus de qua-

34

tre mille entretiens manifestait de façon éclatante, et éclairante, que le travail était plus que jamais le lieu où les individus constituaient leur identité sociale et personnelle. Chaque jour davantage l'entreprise était devenue une institution. La moindre besogne était désormais appelée une mission et toute une orientation managériale véhiculait l'idée implicite d'une entreprise consensuelle et transparente où tous les salariés seraient pareillement mobilisés et impliqués dans le travail. Mais pourquoi faudrait-il faire à tout prix comme si tout le monde était ou devait être également et pareillement concerné et responsable ? Il me semblait, à moi, que les contraintes étaient de plus en plus fortes sans que pour autant il y ait des retombées en termes de salaires, ou de conditions de travail et d'emploi. Et puis il me semblait que je n'avais pas à l'ouvrir trop, parce que si je n'avais pas été SDF comme Tchang, je n'avais pas non plus été salarié comme Léo, j'avais toujours vécu dans une marginalité peinarde et bien-pensante, sans jamais demander d'emploi, avec ma connerie d'avion Poli-karpov I-16 à monter moi-même comme une maquette de gosse, à la gloire de Papa et de tous les Républicains espagnols, rebelles, rebelote, des anar-chistes passés et à venir, dans les siècles des siècles, et tout ça dans un tel respect des institutions parentales, républicaines, anarchistes et contre-culturelles et un tel conformisme, une telle assurance, une si bonne conscience, que j'en avais envie de gerber, alors que j'entrais dans l'Airbus en faisant mon bourru. Pas de chouchou, pas de chichis. J'avais envie de me carrer la truffe contre un hublot et de vivre peinard ces qua-tre heures de suspension céleste.

Une volière cet avion. Un groupe de comm' est composé d'un bon 66 % de femelles. Toutes jouissan-tes explosées d'aller s'éclater la tronche et les miches au petit soleil des piscines et sous les grands sun-lights des night-clubs marocains. Je reprends : tout le monde était joyeux sauf moi. Joyeux de quitter la grisaille et se retrouver entre collègues et amis du même acabit dans des circonstances exceptionnelles. Tout le monde était dedans sauf moi, toujours dehors. Peut-être que j'étais out. Personne ne semblait me voir. Quelque chose en moi me répugnait, et m'interdisait de porter le moindre jugement sur qui que ce soit, et surtout d'agir, de peser sur le cours des choses, un peu comme si j'étais déchu de certains droits depuis la mort de Tchang. Après Auschwitz, même les moins coupables ont dû se sentir secoués, effarés, tétanisés, déchus d'une certaine innocence. Tchang en mourant m'avait fait perdre mon innocence, ma virginité.

La silhouette de Magic Johnson

J'étais la vestale musclée du panthéon républicain, la nounou bagarreuse des enfants de la classe ouvrière perdue, un niaiseron virginal planté comme un basketteur, avec la silhouette de Magic Johnson et des faux airs de Grominet, capable de nettoyer les écuries d'Augias et vider les poubelles et récurer la crasse de ce monde putréfié et je me mêlais de quoi, superducon pas même capable de torcher mon cul, de sauver un ami d'enfance à deux pas de chez moi. J'étais du côté des faibles, des opprimés, des victimes et des malchanceux mais cool, ma poule, du bon côté de la rue, prenant les choses sans trop m'en faire, sans m'enfermer, avec ma bibine au comptoir et mes plats en sauce, mes pieds de porc à la con et mon petit quartier d'un Paname passéiste et bon enfant où tout le monde se connaît, où les commerçants sont gentils, comment va c'matin, m'sieur Poulpe ? Un vrai village, un terroir, bien gras, dégoulinant d'une tendresse d'accordéon. J'étais pas Zorro, j'étais le vrai Superdupont. Un Tintin Tartarin. Et puis le joli bizuth avec ça, le puceau de la vie. Mais bordel de céphalopodes à poil ras, l'aventurier des temps modernes, ce n'est pas l'explorateur, le détective ou le père de famille, c'est le salarié. C'est lui le desperado. Lui seul risque de perdre son emploi. Il est à la merci de la conjoncture internationale, de la transhumance des capitaux, des intempéries politiques, on lui dit dans une oreille que c'est comme ça, une crise mondiale, un monde en mutation, la faute à pas d'chance, et dans l'autre oreille on lui demande d'innover, d'inventer, de participer, d'avoir une vision globale de sa mission et de l'entreprise. J'étais dans un groupe d'une soixantaine de ces aventuriers partis en séminaire avec à leur tête des Léo et des conquérants du plaisir de qualité et je me rendais compte que je m'étais moi toujours considéré comme un héros magnifique, un justicier marginal. Finalement, il n'y avait pas plus facho que moi. Il n'y a pas plus facho que l'héroïsme. Ça rime à rien de vouloir être un héros, ah si, ça rime avec bourreau. Les héros des uns sont les bourreaux des autres. Il faudra que je lise encore beaucoup la vie de Jetsün Milarepa, et dans un premier temps, que je me contente d'essayer de toutes mes forces, et surtout de toutes mes faiblesses, d'être un brave type qui ne la ramène pas trop. À bien y regarder, dans la rue on croise plus de héros que de braves types. Léo, qui n'a rien d'un brave type, mais tout d'un enculé, et je pourrais en raconter sur les émois de son adolescence bique et bouc quand il se prenait pour Ziggy Stardust, Léo donc s'était assis à côté de moi et il me parlait depuis deux heures environ sans que la moindre de ses paroles n'ait franchi le seuil des pavillons de mes oreilles épaisses. J'étais content de sortir de France. J'étais sorti de moi, et je me voyais distinctement, poulpe entre deux eaux, entre deux bières, deux têtes de veau, animal légendaire, monstre sanguin, porcin, saint cochon qui prend son pied à la Sainte-Scolasse, mauvais feuilleton, *alas, poor Derrick*. Folie.

— Ne pleure pas, a dit Léo, Tchang n'était pas un saint. Et toi non plus. Mais Tchang était dingo, pas toi, pas tant que lui.

— Je sais, ai-je dit. Je suis une merde.

— Pète pas les plombs, pas ici, pas maintenant.

J'ai enfoui ma grosse tête dans le giron de Léo. Il portait Habit Rouge de Guerlain. Il a raconté aux autres, aux curieux, que j'avais une otite infectieuse qui expliquait mon humeur maussade et surtout cette insoutenable douleur présente. Je me suis mis à redoubler de glapissements, yip, yip, on aurait dit un bébé fennec perdu dans un grand ciel hostile, yip. Mais il n'y a rien d'hostile sur la terre comme au ciel sinon l'homme, qui après quelques millénaires n'a toujours pas appris à vivre.

Poulpe à bras raccourcis

Deux cars climatisés nous attendaient à l'aéroport. Je cherchais Léo des yeux. Sans Léo j'étais perdu. Quand une fille ou un type me parlait, pour dire une banalité, il me fallait un certain temps pour assimiler et préparer une réponse agréable ou pleine d'humour adaptée à la situation, si bien que le type ou la fille était déjà loin quand je cherchais encore que dire et en quelle langue. Ma crise de larmes était passée, je ne comprenais pas ce qui m'était arrivé. J'avais peut-être vraiment une otite infectieuse, qui me faisait atrocement souffrir dans l'avion pressurisé et, au sol, ralentissait mon entendement. Peut-être que mon oreille coulait, et que mes yeux pleuraient et que j'allais me mettre à pisser sous moi et à saigner et fuir du cul et devenir liquide, entièrement liquide, tellement j'en avais marre d'être un type solide. J'avais enterré Tchang, c'était trop tard. Léo pouvait bien se débrouiller sans moi. Je ne jouais pas sur mon terrain, dans un car de voyage climatisé au milieu d'une population d'employés (moyenne d'âge trente-trente-cinq ans) joyeux et complices. Je n'avais rien à leur apprendre.

— Tu as vu le type qui nous a accueillis après le contrôle des passeports ?

— Non.

— Un type bronzé, tout en blanc, avec des mocassins blancs et une petite verrue sur la paupière droite. C'était lui. Ton proxo.

— Où il est ?

— Dans l'autre car. Regarde.

— Je vois rien, il y a un reflet.

— Tu le verras plus tard. Dans le tiroir de ta table de nuit à l'hôtel, tu trouveras un pistolet.

— Je le sens pas, je le sens mal.

— Le dépaysement, le stress, tout ça, Gabriel, tu vas prendre une douche glacée, tu vas me faire le plaisir de tirer une de ces petites dindes, et le goût de la vie va te revenir. On va commencer par piquer une tête dans la piscine.

Je ne sais pas trop bien nager et j'ai horreur de l'eau des piscines. Le car a démarré et peu à peu la ville est devenue plus présente, et un certain bien-être m'a gagné, un certain réconfort. Trente degrés à l'ombre, pas beaucoup d'ombre, et l'odeur de l'Orient, la lumière de l'Orient, qui confond tout, réunit tout. J'étais plus proche des mendiants d'ici que de Tchang, plus proche des marchands d'ici que des employés que j'accompagnais, plus proche de la poussière de la place Jemma El Fna que de la statue équestre de Louis XIV, place des Victoires. Ici je pouvais me contenter de n'être rien. Ici je pouvais ne pas comprendre et être compris. Il me semblait que mes bras avaient raccourci.

Maroc around the clock

Deux jours au Maroc, tous frais payés, avec cent mille francs de prime pour tuer un soi-disant proxénète. Jamais je n'aurais accepté ce deal s'il m'avait été présenté en première main, mais c'était une seconde main, je remplaçais au pied levé mon ami Tchang, SDF qui s'était flingué pour finir en beauté, dans la soie et le parfum des femmes. Je ne sais pas trop bien pourquoi mais je voulais comprendre Tchang, ou peut-être seulement lui donner un peu de mon temps, me glisser dans son âme, faire ce qu'il aurait dû faire. Il est écrit au début du chapitre XI de la vie de Jetsün Milarepa, intitulé *Les ermitages et le dévouement à ses semblables* : « *Maître, aucun récit ne peut surpasser ton histoire par son merveilleux caractère et son intérêt ; et bien qu'elle contienne un certain humour qui provoque le rire, elle est cependant si pathétique dans son ensemble, qu'on ne peut s'empêcher d'en être ému. Je te prie maintenant de bien vouloir nous conter quelques incidents heureux.* »

Je me suis battu avec un loufiat qui tenait à emporter mon bagage dans ma chambre, je lui assurais que je n'avais pas besoin de lui, j'ai insisté, jusqu'à ce que je comprisse que c'était lui qui avait besoin de moi. J'étais son boulot, son gagne-pain, sa survie et celle de ses enfants. Dans la chambre trop grande pour un homme seul je me suis lâché. J'ai boxé mon bagage puis j'ai éclaté en sanglots. Dans mon bagage il y avait comme toujours la photo d'un couple d'amoureux en maillot de bain. J'avais boxé les salauds d'amoureux à travers le cuir du bagage et ces salauds d'amoureux étaient ma maman et mon papa morts en 1965 sur une route du pays basque. Ils m'avaient laissé là et je les avais perdus, je les avais même oubliés dans ma mémoire, je n'avais pas d'image mentale de notre bonheur ensemble. Je me souvenais de Tonton Émile et Tata Marie-Claude mais c'était autre chose, mes adoptifs, une autre complainte des drames du temps jadis. Ils étaient pleins d'un amour qui sentait bon le goudron du tabac et la confiture des mûres que j'allais ramasser dans des ronciers d'un autre temps, d'une autre banlieue qu'aujourd'hui. Fantômes, tous, les ronciers sont tondus, perdus, n'ont plus d'épines. Même

Pedro, mon vieux pote, qui crie toujours *No pasaran !* en faisant sa sieste, mon mentor menteur, mon brigadiste international, mon cocu de tous les grands soirs, il n'ira plus très loin, avec ses souvenirs mités, son code de l'honneur, son poing levé, ses hymnes d'arrière-garde, il a déjà tout de l'homme momie, l'homme cireux du musée Grévin, l'antiquité dans la vitrine, le témoin d'un âge d'or, l'anar catalan pour écomusée des héroïsmes disparus, fantôme radoteur, radeau perdu, dodu, dodo... Bien vouloir nous conter quelques incidents heureux, monsieur Milarepa, pas le décès de vos parents, la faillite de vos proches, retrouvés charcutés dans une Caravelle Renault ou confinés dans la déconfiture des petites semaines. Mais je ne suis pas Milarepa, je suis Lecouvreur Gabriel, le petit Gabriel, le petit gibbon du bois joli. Des incidents heureux, en voici un, qui arriva, en poussant la porte. J'ai tourné mes yeux embués de larmes.

— Tu me cherches, paraît-il, dit un homme brun, tout de blanc vêtu, un peu comme un gourou, il ressemblait à quelqu'un que je n'ai pas connu mais que j'avais déjà vu quelque part. En photo dans les petits papiers de Tchang, à l'Hôtel Suicide ou la morgue.

— Je ne cherche personne, ai-je dit.

Les larmes ont disparu de mes yeux et mon cœur s'est asséché. Mon bras s'est allongé jusqu'au tiroir de la table de chevet d'où j'ai fait surgir un pistolet de calibre 9 mm que j'ai pointé sur la braguette immaculée de mon interlocuteur.

— Va rafraîchir tes couilles dans la piscine, ai-je dit.

— Un flingue, rien que ça. Tu n'es pas animateur de stage. Quoi alors ? Tueur à gages ou trou du cul assermenté ? Paie-toi du bon temps, caïd, reste deux jours, comme prévu, fais le clown, tire-toi des gonzesses, mange du méchoui, fume le kif, mais ne cherche pas à m'embrouiller. Je suis consultant, rien d'autre. Comme Léo, rien d'autre, tu comprends ? J'ai un bizness, Léo a un bizness, et toi tu as sans doute un bizness. Je ne fais de mal à personne, crois-moi. Je n'ai pas une mauvaise mentalité. Ma maman m'a toujours dit qu'il valait mieux faire envie que pitié, eh bien voilà, je fais plus envie que pitié. Il y a beaucoup d'envieux, voilà tout. Mais ce sont les envieux, qu'il faut blâmer, pas moi. Je m'appelle Gunther. Peut-être serons-nous amis, quand tu auras compris le sens de la vie et la valeur des êtres... Moi je te respecte, si tu me respectes. Qu'est-ce que tu penses de ça ?

— C'est respectable...

— Mais quoi ?

— Je ne respecte plus rien, avec le temps, même plus moi-même.

— Dommage, dit le beau proxo vêtu de lin blanc.

Il avait l'air vraiment affecté, avec peine et sincérité. Il m'a gratifié d'une tape amicale sur l'épaule et m'a lancé : « À tout de suite, vieux, pour le cocktail de bienvenue. »

C'est seulement quand il est parti que j'ai pu découvrir derrière la baie vitrée de ma chambre la piscine au milieu du jardin idéal touriste. J'ai vu Léo plonger dans l'eau turquoise. La nuit tombait déjà. L'eau était plus claire que le ciel. Léo était aussi joliment bronzé que le soi-disant proxo Gunther et l'un et l'autre avaient des muscles fins et déliés et un ventre plat, des fesses hautes, ils n'étaient pas des poulpes patauds ni des gibbons mélancoliques, ils savaient enterrer les morts et enjamber les SDF.

Étonnante Samantha

J'ai pris une douche glacée et puis j'ai voulu appeler Cheryl. Il me fallait parler illico presto à une coiffeuse parisienne qui possédât en outre des qualités de masseuse et de psychologie infantile pour qu'elle me remît la tête en place en me hurlant dans les oreilles que je ne n'étais pas un petit garçon loin de sa maman mais un héros inébranlable et hermétique au doute et tombé dès l'enfance dans la marmite des grands idéaux malades et des nobles causes perdues, mais il faut imaginer Sisyphe heureux et le poulpe radieux. J'ai composé le numéro de sortie de l'hôtel puis le numéro de la France mais c'était occupé partout en France. Comparée au Maroc, la France est toujours occupée. Bizness is bizness, time is money sont des adages bien de chez nous. On a gratté à ma porte comme aime gratter Cheryl quand ça la démange et j'ai planqué le pistolet sous ma sortie de bain nouée façon paréo. C'était Samantha. Samantha était extrêmement maigre et bronzée, presque orange confite, avec des cheveux plus que noirs, presque violets, et des yeux à la menthe surtout, glacés et fondants. Dans l'avion elle s'était assise à côté de moi un quart d'heure pour se présenter de plus près, moi c'est Samantha, je suis ravie que vous soyez des nôtres, monsieur Tchang, si vous avez besoin ou envie de quelque chose, demandez-le-moi, et puis elle avait ensuite raconté comment Ben avait besoin d'un break, et elle m'a demandé comment je connaissais Léo, et j'ai dit que tout le monde connaissait Léo, au lycée, il y avait vingt ans de ça, et surtout moi qui couvrait ses coups tordus, Léo avait toujours été taquin, et charmeur, et Samantha avait voulu savoir si Léo avait beaucoup de flirts et comment étaient les petites fiancées, les petits tétons, et je voyais à l'autre bout de l'avion mon Léo tripoter les boutons de vareuse d'une petite hôtesse tout en lorgnant en souriant dans ma direction et plus tard j'ai su que Samantha était la nana de Ben qui était le patron de la boîte mais que Samantha était bien autre chose que la poule du boss, elle était cador dans sa branche, la comm', et aussi dans la pub, d'où elle venait, donc elle avait du sens et une image. Cheryl aurait dit de Samantha que c'était la pétasse friquée puante et bidon et Samantha aurait dit à Cheryl apportez-moi de la lecture et allez me chercher un café-sucrette pendant que Giorgio me fait les pointes, mais Cheryl n'était pas dans la chambre, et Samantha était déjà dans la salle de bains.

— Qu'est-ce que vous faites ? dis-je en entendant couler la douche.

Pas de réponse. J'entendais l'eau claire couler comme la pluie d'avril.

— Qu'est-ce que vous faites ?

— Dans la vie ? Je suis la directrice de Prétexte, l'agence mère, lança Samantha depuis la douche, l'eau est délicieusement tiède chez vous, mais tout sera expliqué demain matin en conférence. Dans ma chambre, l'eau coule toute rouge. Impossible de savoir si c'est de la rouille, du sable ou du sang. Est-ce que vous vous plaisez parmi nous ? Montrez-vous un peu.

— J'ai déjà pris une douche et je ne veux pas me brouiller avec Ben.

— Ben m'a déjà vue toute nue, vous savez. Venez donc me protéger. Il y a une araignée.

— J'ai la phobie des araignées, dis-je, en restant accroché au lit.

— Elle est partie, alors venez, Ben n'est pas jaloux, je vous assure, vous lui feriez affront en pensant ça. C'est toute une philosophie du couple et de l'entreprise, chez lui, il faut faire circuler les idées, les richesses, l'information, échanger, copier, innover, initier, c'est la transversalité, voyez-vous, et puis du moment qu'il a sa petite pipe le matin à sept heures pile. C'est tout le paradoxe de Ben, il est à la fois terriblement créatif, quasiment révolutionnaire, et horriblement casanier. Vous trouvez pas ça dingue, cette dichotomie ?

— Et Gunther, vous connaissez bien Gunther ?

— Méfiez-vous de lui, dit Samantha en riant, et venez donc.

— Pourquoi riez-vous ? Et pourquoi me méfier. Il est si dangereux que ça ?

— Ça dépend des fesses, il a un chibre d'âne, rien que ça, et il est homosexuel pratiquant. Vous n'avez pas remarqué ?

— Non. Et Léo ? Vous le connaissez depuis long-temps ?

— Moins que vous. Et plus que vous.

— C'est-à-dire ?

— Je le connais depuis moins longtemps et je le connais plus que vous. Mais vous, je ne vais pas vous appeler Tchang plus longtemps, monsieur Poulpe, j'aimerais voir vos tentacules. J'arrive. Vous voulez qu'on fume un peu, pour nous détendre ? J'ai tout ce qu'il faut dans mon sac.

— On va nous attendre. Je ne suis pas un poulpe, je suis un être humain. Je veux juste faire mon bou-lot, vous savez. Il y a les présentations et le pot d'ac-cueil ou quelque chose comme ça vers huit heures. Il faut que je m'habille.

— Oui mais avec le décalage horaire, ça nous laisse une heure supplémentaire, gratuite, qui n'ap-partient à personne sinon au plaisir qu'on veut bien s'accorder pendant une heure. Nous sommes tou-jours tellement charrette et speed et stressés et sur-bookés jusqu'à l'overdose, non ? On explose, et on n'a même pas le temps de péter. Je peux vous apporter beaucoup de paix, Gabriel.

— Je ne suis pas Gabriel. Je suis Tchang.

— Tchang est mort. Connais-moi. Je n'ai jamais fait l'amour avec un poulpe, mais j'ai déjà fait l'amour avec un reptile, avec un serpent, un bébé boa, absolument pas venimeux, donc, et si affec-tueux, je lui avais appris à entrer dans les lieux chauds et humides, mais j'ai dû m'en séparer quand il commença à prendre de l'encolure.

— Vous êtes une femme étonnante, Samantha.

Mauvais Mandrin

— Mais vous même, grand poulpe, susurra Samantha, devez avoir un nombre de conquêtes impressionnant. Léo m'a dit qu'au lycée on vous avait surnommé Mandrin, et que c'était autant en référence au brigand populaire qui s'attaqua aux caisses des impôts et finit roué vif après avoir été trahi par une femme qu'en hommage à votre bite phénoménale.

— Vous connaissez bien Léo, on dirait.

— Léo doit préparer la conférence de demain, et nous, nous avons quartier libre. Mais je vous sens anxieux, tendu. Je vais vous masser, enlevez votre drap de bain et allongez-vous. J'arrive.

Derrière la baie vitrée, la nuit bleue avançait dans le ciel en chassant des nuages bossus comme des chamelles capricieuses. Quelqu'un ôta un peignoir et plongea dans l'eau turquoise électrique de la piscine et je pus reconnaître Gunther.

— J'ai vu Gunther, dis-je.

Et puis quelques secondes après, je vis quelqu'un émerger de l'eau turquoise électrique et je pus reconnaître Léo.

— J'ai vu Léo, dis-je.

Samantha vint s'allonger nue près de moi mais je n'avais pas la tête aux agaceries, je fixais l'eau turquoise électrique. J'avais vu Léo enfiler un peignoir et disparaître de mon champ de vision. Gunther ne sortait pas. Son peignoir était toujours posé sur le bord du bassin.

— J'en ai parfois assez d'être une executive woman, dit Samantha en me sollicitant vaillamment.

La piscine était déserte, abandonnée, silencieuse. Aucun nageur, nul poisson. Samantha me demanda comment je désirais être sucé. J'ai pensé à Cheryl et ses bigoudis, ses shampoings, ses clientes et l'hiver parisien. J'avais un œil sur la piscine, l'autre sur la nuque de Samantha et un de ces deux yeux se tourna vers la porte quand Ben entra sans frapper pour dire à Samantha qu'il avait oublié son agenda et Samantha lui dit qu'il était un gros bêta et que l'agenda était dans sa serviette en cuir d'agouti.

— D'agouti, dis-je, c'est dégoûtant.

Ben sortit et Samantha excusa l'intrusion de son compagnon.

— Il n'a rien dit, dis-je, il aurait au moins pu être surpris.

— Non, c'est nous qui avons été surpris, mais il aurait pu être étonné. Ben n'est jamais étonné. Ben est un génie qui improvise sans cesse et s'attend à tout, il sait changer d'idée, de chemin, de convictions, il est ouvert à la complexité du monde et de l'entreprise. Tu verras demain matin, à la conférence.

Le peignoir de bain de Gunther n'était plus au bord du bassin.

— Je ne peux vraiment rien savoir de toi, dit Samantha. On dirait que tu portes le deuil de quelqu'un, tu as l'air si mal, si faible, alors que je te croyais si fort, insensible. Tu es moins un héros qu'un rêveur, grand poulpe.

— « *Le rêveur marche dans l'espace et le temps, suivi d'un petit chien étrange qui est son enfance perdue* », a dit Raymond Grandjean, et non seulement j'ai perdu mon enfance, mais j'en perds peu à peu le souvenir.

— Je peux comprendre ça, mais dis-toi que quand tu en auras perdu la nostalgie, tu seras vraiment adulte.

— Oui, alors on pourra m'enterrer. Tu sais, pour Tchang, l'ami d'enfance de Léo et de moi-même ?

— Non, je ne sais rien. Tu veux vraiment pas qu'on se fasse plaisir ? Un petit coup pour le fun. On est loin de tout, ici, et dans cette chambre. Il n'y a que nous.

— Non, il n'y a que vous, moi je suis ailleurs et je ne sais pas où.

— Putain de bordel de merde intello, dit Samantha en se forçant à rire, à pouffer, en laissant tomber lourdement sur le lit ses quarante-deux kilos, et en lançant les yeux au ciel, au plafond, je croyais trouver un étalon primaire, un Rambo sévèrement burné, et je trouve un poète éploré languide, un philosophe effiloché falot fantoche. Et c'est quoi ce bouquin ? Milarepa ? (Elle ouvre au hasard.) « *Mon corps, à l'intérieur et à l'extérieur, est comme des orties*. » Hihihi, c'est bien toi, et qui s'y frotte s'y pique. Tant pis, monsieur le Poulpe, ça ne sera pas pour une autre fois, et puis tu sais, à bien y voir, t'as pas d'aussi grands bras que ça. T'as rien de grand.

Quand elle fut sortie, j'ai ouvert la baie vitrée et je me suis approché de l'eau turquoise électrique de la piscine. Il n'y avait personne et la nuit était déjà fraîche. Je pouvais voir les divers salons et la salle à manger se remplir d'une clientèle grégaire. En m'approchant de l'eau, je crus y voir des serpents rouges et des gouttes de sang. Je me sentis glisser dans l'eau et une main me rattrapa par le col.

— Attention, dit Léo. Viens, ça va être à toi. C'est l'apéro, les toasts. Je vais te présenter comme étant un vrai gourou, t'en as bien la tronche hallucinée, mais essaie de doser les effets. Demain, tu improviseras à partir d'un bouquin que je t'aurai passé. Je leur ai dit que tu avais déjà travaillé avec Toscani pour Benetton, que tu avais été un des assistants de Godard pendant sa période postchinoise-circuits MJC. Parle-leur du Yi-king, du Popol Vuh, du Tao, du Bardo Thödol et du Samsara. Samsara, les filles connaissent, c'est le nom d'un parfum Guerlain. Elles réagiront, et après tu embrayes sur du physique, du gestuel, du spectaculaire, des exercices de cris, de sauts, des mises en confiance, tout ça, merde. Qu'est-ce que j'ai dit ?

— Tu as du sang, là, sur l'oreille.

— Je me suis coupé en me rasant.

— T'es pas rasé.

— On peut pas à la fois se raser et se couper. Tu fais chier, Gabriel, je sens que tu veux me faire chier.

— Léo, je veux mon pognon ce soir.

— Les cent mille balles je peux pas. T'as pas confiance, Gabriel, je sens que tu n'as pas confiance en moi, pas confiance en notre amitié virile.

— Virile ? Tu parles, tu peux combien. Cinquante mille ?

— Tu es dur en affaire comme en amour. En piquant dans la réserve je peux essayer cinquante mille. C'est pas vraiment piquer, c'est emprunter. C'est du pognon qui est destiné aux Arabes. Une histoire de taxes. Ce soir, vraiment ?

— Sinon je n'anime pas le stage demain, et je ne remplis pas mon contrat. Léo, je ne comprends rien à rien. Qui est bon et qui est méchant, ici ? J'ai envie de rentrer chez moi.

— Dimanche soir on sera tous chez nous. Mais t'es pas bien là ? Pourquoi tu me fais une déprime justement là ? Pourquoi tu tires pas des gonzesses, pourquoi tu vas pas boire des coups avec les autres, et puis après ils iront tous danser dans des boîtes de raï avec des Marocaines sublimes aux yeux de braise et...

— Aux yeux de braise ? C'est écrit dans le guide touristique ?

— Mariole. Je ne savais pas que tu avais des états d'âme. Au fond t'es chochotte. Tu vas pas virer pédé toi aussi ?

— Pourquoi moi aussi ?

Fantasia pour les ploucs

Après avoir passé un pantalon en lin écru et une chemise indienne, j'ai rejoint pieds nus le hall d'accueil, précédé de Léo, et j'ai assisté à la présentation des éléments nouveaux dans la boîte et des invités ponctuels. Un petit jet d'eau bruissait. Sur une table un buffet était dressé. Boissons fraîches, apéritifs et cocktails, et friandises orientales. La lumière était dorée. La peau de Samantha était dorée. À présent, j'avais une furieuse envie d'elle. Je ne comprenais pas ce qui m'arrivait en ce moment, j'étais dans une mauvaise phase, en décalage, à côté de mes babouches. Je fus le dernier à être présenté. C'est Ben qui prononça trois mots sur moi — ou plutôt sur Tchang — mais ces trois petits mots ne disaient rien de Tchang ni de moi. Rien de vrai. Mais toute l'assistance a applaudi, parce que c'était l'usage et que plus vite ils auraient applaudi, plus vite ils iraient boire. Comme je restais planté derrière Léo, Samantha est venue me tirer par la manche. Il fallait que je dise moi aussi trois mots. Ma tenue parlait déjà pour moi. J'ai sorti de sous ma chemise mon Milarepa et j'ai déclaré :

— « *Ma sœur Peta, écoute-moi, Toi plongée dans les désirs de ce monde,*

Le pinacle d'or placé sur une ombrelle, tout en haut, pour un ;

Les franges de soie chinoise, arrangées dessous en plis chatoyants, pour deux ;

Les baleines déployées pareilles aux plumes fastueuses d'un paon, pour trois ;

Le manche poli en bois de teck rouge, à la base, pour quatre,

Ces quatre choses, si tu les désires, ton frère aîné peut te les procurer

Mais ce sont des choses mondaines et je les ai évitées

Et grâce à mon renoncement mon soleil de Félicité brille glorieusement. »

« Voilà, ai-je dit, que ceux qui veulent méditent cela cette nuit, que d'autres aillent danser, celles qui veulent faire l'amour avec moi sont les bienvenues chambre 813 à condition que leur cœur soit pur, quant aux autres, je propose qu'ils cherchent le cadavre.

— Quel cadavre ? demanda Ben, parce qu'en qualité de manager éclairé il était toujours le premier à avoir droit à la parole.

— Il y a toujours un cadavre à chercher, dis-je, ou un trésor, mais c'est kif-kif. Nous comparerons demain nos cadavres, nos trésors, nos belles batailles, nos conquêtes féminines ou masculines, nos souvenirs, nos projets d'avenir. Merci à tous et bonne nuit, éclatez-vous.

Je ne suis pas un orateur, et je n'ai pas besoin d'Audimat, je sais tout de suite si j'ai été lamentable, mauvais ou passable. Je venais de me surpasser, j'avais été un véritable ténor de la communication. Je m'en foutais, du speech en lui-même, mais ça voulait dire confiance, retour à la croissance, au plein emploi de mes forces vives, vas-y le Poulpe tu les auras. Standing ovation, forcément, tout le monde dansait devant le buffet. Samantha m'embrassa à pleine bouche, Léo me claqua le dos et Ben m'adressa un sourire satisfait. Ma prestation avait été appréciée, je n'étais pas un pue-de-la-gueule vaniteux, un marginal hautain, un associé dissocié, un prestataire de mauvais service, j'étais le bon gars qui ne se prend pas la tête mais la joue fine avec son expertise à lui, son petit créneau de dentelle. Ma voix avait été claire et forte. Mon message avait été sibyllin. Et de toute façon c'était demain qu'il ferait jour.

— Où est Gunther ? dis-je.

— Oui, où est notre Gunther ? demanda Ben.

— En ville, dit Samantha. Il rencontre l'avocat d'Ali pour la soirée de demain.

— Qui est Ali ? ai-je demandé.

— Un restaurateur mégalo, dit Léo. Il a une formule de dîner spectacle sous la tente, avec des centaines de danseurs et danseuses kabyles, et puis feu d'artifice, et fantasia avec des centaines de chevaux arabes et des chameaux et des danseuses du ventre et des tapis magiques. C'est pas fantasia chez les ploucs, c'est fantasia pour les ploucs.

— Les ploucs c'est nous, dit Samantha en riant. Et notre cœur est pur. Mais je suis encore « plongée dans les désirs de ce monde ». Tu vois, Ben, monsieur Tchang a refusé mon cadeau de bienvenue.

J'ai fait une grimace de regrets à l'adresse de Samantha qui m'a fait un signe qui pouvait dire que j'aille me faire enculer, et Ben eut un drôle de petit sourire méchant pour Samantha, et puis un drôle de petit sourire coquin à mon encontre, qui pouvait dire que je vienne me faire enculer. Ben, Gunther, Samantha, Léo, Tchang et moi. Qui était qui et qui baisait qui ? Je retrouvais du mordant, j'avais l'olfactif en éveil, les pupilles dilatées, les papilles en émoi, les sphincters aux aguets et le chibre à l'affût. J'allais pas me laisser niquer sans en niquer quelques-uns, j'avais eu un coup de blues, mais c'était derrière. J'avais envie d'appeler Cheryl pour lui dire que tout allait bien désormais. Mais elle n'avait pas vu ni su que j'allais mal. Cheryl voyait midi à la porte de son salon de coiffure et elle me disait toujours tant que t'es pas chauve, Gab, t'as pas de raison de te faire des cheveux.

La logique du gagnant-gagnant

Samedi, neuf heures du matin, l'homme qui parlait dans un grand salon de l'hôtel Séminaris avait des yeux de la couleur de l'eau de la piscine, une transparence qui appartenait aussi à son discours. Ben avait à peine quarante ans, il avait été golden boy, avant de fonder sa boîte de communication globale. Il avait connu des difficultés conjoncturelles, un redressement fiscal, il avait frôlé le dépôt de bilan, la catastrophe, et aujourd'hui il dirigeait d'une main de velours une bonne soixantaine de personnes. Dans son parcours et celui de son entreprise il semblait s'être arrêté à un carrefour à la sortie d'une ville dangereuse pleine de traquenards pour compter ses hommes et surtout ses femmes tant l'entreprise était féminine et proposer des choix. Tout le monde était là et en bonne santé.

Je n'avais pas vu Gunther mais grâce à l'efficacité de Léo j'étais plus riche de cinquante mille francs depuis l'aube.

Les collègues se découvraient même s'ils se connaissaient déjà, ils semblaient se retrouver par hasard dans une même station balnéaire ou une même grande ville du monde, loin de chez eux, loin des habitudes quotidiennes.

La boîte était un groupe de communication. Une fédération d'entités et une constellation d'individus. Toutes sortes d'hommes dans leurs voies et façons ! Celui qui lisait des bandes dessinées d'Edika et celle qui attendait un enfant pour juin, celui qui n'avait pas dormi la veille et celui qui avait dansé, celui qui craignait et celui qui espérait, et celui qui ne savait pas et celui qui croyait savoir, et celui qui manquait.

Je n'avais toujours pas vu Gunther.

Ben était disert et souriant, plaisant, proche ; cette société n'était pas sa famille, pas une famille, d'ailleurs, ni une démocratie, pas plus qu'un ordre religieux ou une armée, et Ben n'avait rien d'un grand prêtre, d'un chef de guerre ou d'un guide spirituel, ni d'un pater familias. Et malgré les apparences et l'écrasante majorité féminine cette société n'était pas non plus un gynécée, et Ben ne cherchait pas à séduire son monde. Il avait un pouvoir de conviction mais proposait plus qu'il n'imposait. Il écoutait beaucoup. Il avait des façons souples et rondes, souriantes, d'une grande douceur, qui accentuaient plus qu'elles ne contrariaient la fermeté de son discours. Au-delà du discours sur l'entreprise Ben avait bel et bien une vision du monde, et cette vision du monde traversait une vision de l'entreprise.

Au milieu des soixante employés, un œil posé sur Ben et l'autre sur la chaise vide de Gunther, j'étais vraiment très loin de Sainte-Scolasse et de ses pieds de cochon. Je me disais que Ben en avait dans le cigare, et que si je n'avais pas eu le bol de tirer un petit héritage de Tonton Émile, eh bien je ne serais pas si mécontent d'émarger à l'Amicale des Transversaux Communicants. Ils n'étaient pas un club privé, ils ne m'excluaient pas.

La transversalité était au cœur de la culture de l'entreprise, qui se définissait aussi par l'approche du client, la logique du gagnant-gagnant (et donc le refus de la relation de force), l'approche globale des problèmes exposés, l'intervention sur des marchés différents en conjuguant des expertises, par le niveau de taille, par la souplesse et donc la possibilité de recomposer le groupe en fonction du problème du client, par la recherche d'un leadership à travers une approche globale et par la formation d'une même famille culturelle.

— Notre groupe n'est pas construit à partir d'une technique, ni d'une doctrine, mais d'une pensée évolutive, dit Ben. Et si le mot mouvance a un sens, nous sommes une mouvance.

Léo était à sa droite, les yeux derrière des lunettes noires, et à sa gauche, Samantha, en uniforme blanc galonné d'or, hyper maquillée, hyper bronzée, hyper pute, était rayonnante et j'avais du regret de ne pas l'avoir tirée la veille. C'était bien vrai qu'hier n'avait pas été mon jour.

Ce n'est pas le doute qui rend fou

Je regardais le visage des filles et des garçons de l'assistance, et je faisais toujours ainsi en classe, au lycée, et je ferais toujours ainsi au théâtre, au concert ou à la messe si j'allais au théâtre, au concert ou à la messe, je ne regardais pas l'orateur, mais les auditeurs, et le discours devenait différent. Je remarquais des petits bâillements, des chewing-gums, des sourires, des approbations, des opinements du chef, des grimaces, des rictus, et des ongles rongés, des pieds déchaussés, des nez grattés, gratouillés, des voisins chatouillés, des enfantillages et de la bonne humeur.

— Ce qui est vrai aujourd'hui sera demain obsolète, dit Ben, il faut bien avoir un avis mais surtout ne pas s'y tenir. « *Ce n'est pas le doute qui rend fou*, disait Nietzsche, *c'est la certitude.* » Et en matière de folie Nietzsche en connaissait un rayon. Le pouvoir n'est pas dans la détention du savoir mais dans sa transmission. Si vous ne prêtez pas votre journal aujourd'hui, qui le lira demain ?

Les mots et les idées s'enchaînaient parfaitement, tellement bien qu'il en émanait une certaine petite musique orientale, une mélopée lascive et doucereuse qui m'endormait. J'avais assis mon regard sur le siège vide de Gunther.

Il y eut la présentation de chaque entité composante du groupe et chaque directeur vint parler à son tour, et pendant tout ce temps-là j'ai pensé au cul de Samantha. Ce cul était un mystère, je l'avais vu sans le voir. Vêtu d'un pantalon blanc, ce cul semblait n'avoir jamais existé, on ne le voyait pas tant Samantha était maigre, mais tout le monde a un cul, même Samantha, et j'aurais dû y mettre le nez d'un peu plus près, y mettre la langue et le doigt, et la bite et ne pas avoir peur de m'aventurer dans cette grotte au risque d'en faire trembler les parois et Léo me poussa dans le dos vers l'estrade.

— Eh bien, dis-je, j'avais préparé quelques exercices amusants mais traditionnels, qui ne me semblent plus d'aucune utilité avec vous, tels que je vous ai ressentis pendant la réunion. Et je propose que nous en venions immédiatement au jeu qui constitue la seconde partie de mon intervention. J'avais dit qu'il faudrait trouver un trésor ou un objet particulièrement insolite ou significatif de l'entreprise, mais j'ai eu avec Gunther une autre idée. Il s'est caché quelque part et il s'agit de le retrouver.

Tous les regards cherchèrent Gunther.

— Il n'est pas dans cette pièce, dis-je, mais il peut être dans l'hôtel, dans un autre hôtel, dans la ville, dans la médina, dans le souk, dans le désert, dans la montagne, ou bien dans un avion, c'est à vous de deviner, vous qui connaissez bien Gunther. On va faire des équipes de quatre, numérotées de 1 à 16. Faites vos équipes, vite. Gunther nous attend quelque part.

Je surpris des allées et venues et croisements de regards apeurés entre plusieurs jolies jeunes filles.

Un dinosaure mental

J'ai pris une calèche avec Samantha et Léo, Ben devait rester à l'hôtel pour préparer un rendez-vous important avec le directeur de la Wafabank à Casablanca. Dorine, une stagiaire qui avait perdu ses copines, s'est jointe à nous. J'avais juste envie d'une bière à une terrasse au-dessus de la médina.

— On est bien là-dedans tous les quatre, dit Léo. J'aime la lenteur de ces calèches, et les secousses. Tu te souviens, Tchang, les petites nanas du lycée comme on les secouait ? À peine plus jeunes que Dorine il me semble, des petits tétons comme elle. Comment tu la trouves, Dorine ?

— M'appelle pas Tchang, dis-je. J'ai envie d'une bière. Il pue ce bourrin.

Plus il allait vite et plus il pétait. Valait-il mieux aller lentement ou en finir au plus tôt ? J'avais envie de gerber quand la calèche est arrivée place Jemma El Fna. Bien sûr, des dizaines de guides nous ont sauté sur le râble. Il a bien fallu en prendre un pour qu'il nous fraye un passage en tapant sur les autres guides à bras raccourcis. Le guide n'a pas vraiment d'autre utilité que d'éloigner les autres guides. Il y avait une poussière jaune qui matérialisait la lumière au-dessus de la place. La place n'avait strictement rien de beau mais elle était vaste, sentait le crottin de cheval, le gasoil et l'essence plombée, elle était une clairière avant le souk et les ruelles étroites de la médina. Aucun d'entre nous n'avait envie d'acheter quoi que ce fût, ni de prendre un singe dans ses bras ou un serpent autour du cou, ni de manger des tripes de mouton.

— On ne cherche pas Gunther ? a demandé Dorine.

— Tu ne cherches pas Gunther ? ai-je demandé à Léo.

— Samantha, tu ne cherches pas Gunther ? a demandé Léo.

— Babouches climatisées ? a demandé un marchand.

— Cette ville ne change absolument pas, a dit Léo, demain matin on ira se promener de l'autre côté de la ville, vers le quartier des tanneurs. Il y a moins de monde.

— On ne peut pas y aller maintenant ? a demandé Dorine. Il y a trop de monde. Je n'aime pas ce monde. Je n'aime pas comme les hommes me regardent.

— J'ai envie d'une bière, une bonne Flag, dis-je. J'ai pas envie de crapahuter sous le cagnard. Dis-moi, Léo, sais-tu où est Gunther ? Tu sais, il faut que je règle une petite affaire avec lui.

Léo nous précéda dans l'escalier d'un café et nous émergeâmes sur une terrasse au-dessus de la place et des toits et tentes du souk. Léo me prit par le bras jusqu'à la balustrade et me montra les toits et les tentes et les minarets et m'assura que Gunther était quelque part là-dedans.

— Qu'est-ce que tu as pensé de Ben, ce matin ? a-t-il ajouté.

— Ben ? Remarquablement structuré, cohérent, séduisant. Et tellement clean, propre, une peau satinée, ouatinée, des cols de chemise impeccables. Que veux-tu que j'en pense ? Il a à peu près mon âge et je me fais l'effet d'un dinosaure mental à côté de lui. Il est déjà dans un troisième millénaire techno-zen en train de préparer la piste d'atterrissage. Qu'est-ce qu'il fout avec Samantha ?

— Rien. Ils sont amis depuis longtemps. Ils se complètent bien, au niveau boulot. Ils ont des expériences différentes et des carnets d'adresses complémentaires. Et c'est elle le mec, tu as vu les petits fessiers musclés ?

— J'ai rien vu, dis-je, je pense à son cul depuis ce matin, je l'ai vue à poil, et j'arrive pas à me rappeler son cul. Tu es sûr qu'elle en a un ?

— Tu auras d'autres occasions de voir ça. On est vraiment bien, sur ce toit, j'imagine que le bonheur c'est ça, être sur un toit, une terrasse ou une véranda, et voir passer l'après-midi, voir tomber la pluie, ou simplement l'attendre, attendre quelqu'un ou un messager qui nous dira de quelqu'un des nouvelles amusantes, et entendre de la musique lointaine et des cris lointains et commander une nouvelle tournée de bières fraîches, et regarder encore, si proche mais intouchable, hors de portée des crachats et des jets de pierres de la foule qui en chie, avoir le spectacle et le parfum de la vie sans en avoir les petites et les grosses tortures. Je crois que les colons naguère ont connu le paradis, je crois que les hippies et routards de tout poil dans les années 60 et 70 n'ont fait que rechercher ce paradis colonial, avec des bonnes raisons psychédéliques et généreuses, et tous les Club Med de partout n'ont que ça à proposer, une plage de jouissance ouverte sur un océan de douleur, comme s'il y avait deux soleils, celui qui brûle et celui qui caresse. Ou bien il y a les gens que la vie brûle et ceux que la vie caresse. Moi la vie me caresse. Et toi aussi Gabriel. C'est ainsi, que tu le veuilles ou non. Tu as ton petit héritage et tes petits avantages, tu as une petite notoriété dans ton village et dans tes activités, tu es né dans le bon pays, tu as ta bonne conscience globale, la certitude d'être du bon côté, et tes mauvais rêves pour alimenter quelques doutes, mais tu n'es pas Tchang. Tu ne t'es pas laissé brûler par la vie. Tu te conduis en seigneur, pas en militant, pas en ouvrier, pas en manant, tu laisses tout le monde libre de faire ce que tu veux, tu manipules ton monde, toi aussi. Tu es du côté des riches, même si tu leur tournes le dos. Tu n'es pas un homme-poubelle, un homme-chien. Tu n'auras pas à tuer Gunther. On va bientôt le retrouver mort. Tout sera bien. Tu pourras retrouver tes certitudes.

— Je peux avoir ma bière en attendant ? Un jour tu m'expliqueras à quoi tu joues.

Le sourire de Gunther dans la cuve

En voyant la foule marocaine un étage plus bas, dans la poussière de midi, la chaleur, je pensais à nos pays européens industriels aux populations salariées, et donc à Cicéron, qui avait écrit deux mille ans avant la vulgarisation du salariat qu'on doit regarder comme quelque chose de bas et de vil le métier de ceux qui vendent leur peine et leur industrie car quiconque donne son travail pour de l'argent se vend lui-même et se met au rang des esclaves. Et Paul Lafargue dans *Le droit à la paresse* n'a-t-il pas dénoncé cette étrange folie qui possédait les classes ouvrières des nations où régnait la société capitaliste : l'amour du travail salarié. Bientôt le règne de ce salariat serait achevé, et il n'y aurait plus que des travailleurs indépendants et des chômeurs, qui ne seraient plus des chômeurs, des honteux, des frustrés, mais des oisifs, ou mieux encore des paresseux, des voluptueux, des magnifiques. Tchang n'avait pas attendu cet âge d'or de l'éradication du travail forcé. Et moi je vendais ma peine et mon temps et mon petit savoir-faire à Léo Spitz. Certes je n'étais pas salarié, j'étais juste sous contrat, mercenaire. Mais quand même. J'avais un travail à faire pour de l'argent, j'avais touché la moitié de la somme, et j'avais dans l'idée que quelqu'un d'autre, gratuitement peut-être, s'était chargé du boulot. Je me sentais déjà comme la pute qui a touché son pognon et n'a pas à éponger le client parce qu'une petite suceuse enthousiaste vient de le faire dégorger gratos. Bien sûr je n'y comprenais rien. Je n'y voyais plus rien. J'en étais même à me demander si j'avais jamais vu quelque chose. J'avais pour hobby un zinc bolchevique qui avait fait la guerre d'Espagne, autant dire une machine à remonter le temps. Je mangeais du pied de cochon, de l'andouillette AAAAA, du bœuf gros sel et des tripoux de l'Aveyron. Ma copine était une coiffeuse sans chichis ni fla-flas qui ressemblait plus à Suzy Delair dans *L'Assassin habite au 21* qu'à une poupée virtuelle dans les cyberdélires d'Imagina. Je jugeais le monde et les gens avec un barème de valeurs et des critères fâcheusement artisanaux et ce n'était pas un hasard si mon QG et toute ma vie parisienne était dans ce XIᵉ arrondissement d'ébénistes, de robinetiers et de plombiers-zingueurs. J'étais en rogne contre l'ordre établi mais j'étais foutrement conservateur et réactionnaire, tout au fond. J'avais la nostalgie d'une époque que je n'avais pas vécue. *Casablanca*, le film. Je me suis mis à penser à ce film, cette époque, la guerre, le noir et blanc, une ville marocaine reconstituée façon Hollywood. Très peu d'Arabes, dans ce film. Tout à fait négligeables, les Arabes. Et ici même, n'étaient-ils pas la foule anonyme ? Je me sentais de moins en moins propre mais toutes ces pensées furtives, ces pensées passantes, passivement pensantes, naïves et vaines vite évanouies, ces petits nuages qui me traversaient comme des doutes indistincts pleuvaient dans ma tête et me récuraient. On est remontés dans la calèche et on a contourné le Club Med et la koutoubia et on a longé les remparts rouges de la vieille ville royale jusqu'à un parking de taxis et calèches près d'une porte. Un guide nous a fait descendre et nous a traînés par des petites rues blanches et sèches, surchauffées, vers un quartier hors d'âge, mythique et superbe, à l'odeur insupportable. Quartier des tanneurs. Le guide, en djellaba grise et babouches, rapide, vif, mais peu bavard pour un guide, a distribué des feuilles de menthe que nous

nous sommes coincées dans les narines, façon tête de mouton, coquet, et nous avons débouché sur cette place, aux dizaines de cuves de pierre ouvertes sous le soleil, on y trempait les peaux de moutons, elles y dégorgeaient, elles puaient, mais elles puaient moins que les bains des cuves, et spécialement le dernier, un bain de fiente de pigeon, le haut-le-cœur vous prend, vous gerbez là, secoué, il y avait déjà la police, et un petit attroupement de tanneurs — les témoins ? Il y avait l'homme qui avait retrouvé le corps, celui qui l'avait vu le premier et celui qui l'avait tiré vers le bord de la cuve avec un bâton et un crochet, et celui qui l'avait sorti, à grand-peine, et tous ces hommes avaient donné leur nom et leur profession et leur adresse dans la montagne ou dans la ville et il y avait Ben qui avait été prévenu à l'hôtel et le guide de l'hôtel, et quatre ou cinq employés de la boîte, peut-être deux calèches, deux équipes, dont l'équipe gagnante, qui avait la première retrouvé Gunther. Il était entièrement nu, pestilentiel et gris crotte, mais il souriait, le con.

— Il est mort, dis-je à Léo.

— Ça lui pendait au nez.

C'est tout ce que Léo trouva à dire. Et puis ses yeux s'emplirent et débordèrent de larmes rouges et il se mit à gerber sur son plastron et ses mocassins, tellement ça puait, ce caca pourri de pigeon à la con.

— Qu'est-ce que je fous ici ? dis-je encore.

— Fais comme moi, hoqueta Léo, gerbe.

Après Gunther

J'ai pris Léo par le bras et nous avons marché sur l'eau putride et puante de quarante-trois cuves appartenant à quarante-trois tanneurs avant de pouvoir ôter les feuilles de menthe de nos narines pour les jeter dans un thé bouillant. Léo voulait acheter un sac en peau de chèvre ou de mouton, pour sa maman.

— Qui a tué Gunther ? dis-je abruptement, alors que le marchand, dans son échoppe faiblement éclairée par la lumière lointaine de la rue blanche, déballait cinquante-huit sacs tous différents et tous à vendre au meilleur prix.

— Un petit mendiant d'ici, peut-être, quelqu'un que tu ne connais pas. Il aura fait ça pour une poignée de méchants dirams, un bakchich, une aumône.

— Pourquoi ? J'étais payé pour faire ça.

— Tu ne l'aurais pas fait, ou tu l'aurais mal fait. Je t'ai fait venir ici pour autre chose.

— Et Tchang ?

— Tchang et toi, c'est pareil.

— C'est la meilleure chose que je pouvais entendre en ce moment. Redis-moi cette chose si douce.

— Tchang et toi vous êtes la même merde, mais vous êtes ma putain de famille.

Léo prit un sac par terre et me le colla sous le nez.

— Sens ça. Le bouc, la chèvre, la bête. J'aime les odeurs. J'ai aimé l'odeur de la merde de pigeon, dans les cuves. Et j'aime tous les parfums d'Arabie. Je travaille dans la comm', on dit que je vends du vent mais c'est faux, parce que je vends de l'inodore et le vent est toujours parfumé, porteur de printemps ou d'automne, le vent délivre toujours un secret, un message, et moi je n'ai pas de message aussi important que le vent. Le jour où j'ai abordé Tchang après avoir longtemps attendu et redouté cette rencontre, il y avait un vent froid qui se faufilait à travers la pluie, je m'en souviens et ce vent me glace parfois, alors que je ne m'y attends pas. Je n'aime pas le froid, Gabriel. Tchang et toi vous êtes ma putain de famille, je n'ai pas de passé, pas de traces, pas de racines, sinon vous, j'ai froid sans vous.

— Tchang a froid pour toujours et ça me rend morveux.

— Je pouvais pas penser qu'il réagirait comme ça, aussi radicalement. C'était pas dans mes prévisions.

J'espère juste qu'il a bien pris son panard avant de se tirer une balle, que la coke était fine, et les putes bien chaudes et le champagne frappé. Tu sais, il ne m'a pas reconnu. Tu dis que j'ai pas changé, mais Tchang ne m'avait pas reconnu. Moi je sais que j'ai changé. J'ai parfois l'impression d'avoir réussi, je vis bien, je dépense, je vois du monde, mais je me sens de plus en plus seul. Je ne t'ai jamais vraiment parlé de moi depuis qu'on s'est revus il y a trois jours, mais je me sens très seul, j'ai peur de ça, rester seul. Et puis j'ai pas vraiment quelque chose qui m'appartienne non plus, je ne vis pas au jour le jour mais presque, un peu comme un saltimbanque, mais je suis un saltimbanque de l'entreprise, du bizness, et je dors dans des quatre-étoiles. Mais je me sens aussi SDF que Tchang, et que toi, qui n'as pas de patron, pas de contraintes, pas de logement. Le temps nous appartient, et la vie n'est faite que de temps, après tout, non ?

— La vie n'est faite que de contretemps.

— J'essaie d'avoir quelque chose à moi, Gabriel, il me faut un peu de pognon et je l'aurai, alors je pourrai réaliser mon rêve, c'est un vieux rêve. Je ne t'en ai jamais parlé, mais je t'en parlerai bientôt. Connais-tu Ouarzazate ?

Le cantique des cantiques

— Ouarzazate et mourir, dit le poète.

— Ben est un enculé de première. On ne sait pas ce qu'il pense. Ben, Gunther et moi on était associés. Un peu comme Tchang, toi et moi jadis. Rien ne tient. Surtout pas l'amitié.

— Et Samantha ?

Léo me fixa dans le blanc des yeux. Il me saisit la main. Sa main devint moite et tremblante, fiévreuse.

— Samantha ? Elle est belle, qu'est-ce qu'elle est belle ! Ses yeux sont comme des colombes, sans ce qui est caché au-dedans. Ses cheveux sont comme des troupeaux de chèvres qui sont montés sur la montagne de Galaad. Ses dents sont comme des troupeaux de brebis tondues qui sont montés du lavoir et qui portent toutes un double fruit sans qu'il y en ait de stériles parmi elles. Ses lèvres sont comme une bandelette d'écarlate, son parler est agréable. Ses joues sont comme une moitié de pomme de grenade sans ce qui est caché au-dedans. Son cou est comme la tour de David, qui est bâtie avec des boulevards : mille boucliers y sont suspendus et toutes les armes des plus vaillants. Ses deux mamelles sont comme deux petits jumeaux de la femelle d'un chevreuil qui paissent parmi les lis jusqu'à ce que le jour commence à paraître et que les ombres se retirent. Ses lèvres sont comme un rayon de soleil qui distille le miel ; le miel et le lait sont sous sa langue et l'odeur de ses vêtements est comme l'odeur de l'encens. Elle est comme un jardin fermé, elle est un jardin fermé et une fontaine scellée, dont les plants forment un jardin des délices rempli de pommes de grenade et de toutes sortes de fruits de Cypre et de nard ; le nard et le safran, la canne aromatique et le cinnamome, avec tous les arbres du Liban, s'y trouvent aussi bien que la myrrhe et l'aloès, et tous les parfums les plus excellents. Et c'est moi qui la nique, Gabriel, c'est moi qui la nique.

Léo était cassé en deux, plié bossu, il riait et pleurait en même temps en me malaxant la main.

— Et Gunther, là-dedans ?

— Gunther ! Mais c'est tout autre chose, Gunther il était bisexuel, il a mis au tapin quatre des filles de la boîte, il avait réussi à mettre quatre braves petites stagiaires un peu connes sur le tapin, tu te rends compte, il leur a promis la lune et ce sont elles qui ont donné la leur, au bout du compte, il en a fait des suceuses et des bonnes, je te prie de croire. Il était dans la boîte uniquement en qualité d'ami de Ben, un ami d'enfance, un peu comme toi et moi. Ils ont commencé à me manger la laine sur le dos.

— Il y a un truc qui va pas avec toi, Léo, qu'est-ce que tu cherches, au juste ?

— Je veux t'associer, Gabriel, c'est pour ça que j'ai contacté Tchang, par Tchang je pouvais te retrouver, et je voulais que nous reformions un trio d'enfer, une équipe. Trois frères. Il y a encore nous deux, c'est bien. On va les niquer.

— Qui ? Je veux bien niquer, mais je veux savoir qui.

— Tous ces cons. Gunther et Ben. La pub, la comm', le boulot, les cravates club et les costards clowns et les réunions clones et les petits déjeuners scones et les brainstormings cons et les cuves et les cuves de merde de pigeon sur lesquelles il faut danser comme un ours avant d'accéder au bonheur. La révolution doit s'arrêter à la perfection du bonheur, disait Saint-Just, et j'en suis loin, je dois couper des têtes. Aide-moi.

— Tu es malade. Je vais rentrer chez moi.

— Tu n'as pas le droit. Et tu n'en as pas le pouvoir non plus. Tu n'as pas de chez toi.

— J'irai chez ma meuf.

— Chez Cheryl ? dit Léo avec un petit sourire dégueulasse.

— Tu la connais ?

— Bien sûr je connais Cheryl, depuis l'école, comme toi, la rue Saint-Bernard, eh, Cheryl, Tchang, toi, moi, c'était pareil, non, les trois mousquetaires.

— Tu as revu Cheryl ?

— Sacrée Cheryl ! lança Léo en me gratifiant d'une claque dans le dos.

Don't play with him

Léo avait revu Cheryl et le ciel m'appuyait sur la tête.

— Sois pas jaloux, reprit Léo, mais parle-lui du

Cantique des cantiques. Qu'est-ce que tu crois ? Qu'elle te vénère, qu'elle t'appartient, qu'elle t'attend, comme la femme du marin ? Rien n'appartient à personne, vieux. Plus rien. Plus le travail, plus la femme, plus la maison ni la famille, plus l'avenir, plus rien. Tout est en commun, dans le pot commun, ce qui est à toi est à moi, et vice versa. Le bonheur est à ce prix. Au Maroc de préférence, dans une félicité oasienne... Nous serons des dieux, Gabriel, Cheryl, Samantha, toi, moi, Tchang, ou son fantôme heureux... Il faut tuer Ben à présent, il est l'obstacle, le mur mou contre lequel il ne faut pas s'appuyer. Il était associé avec Gunther. Il ne veut pas lâcher Samantha, parce que c'est elle qui fait tenir la boîte debout. Les couilles, c'est elle. Le fric, c'est elle. Quand la boîte a été au bord du dépôt de bilan, c'est elle qui a insufflé du pognon. Cette fille est absolument géniale. Ben est une merde. Il y a dix ans il s'occupait de la communication du roi du Maroc. Avec Gunther déjà, qui s'occupait de petites filles expertes. Ben s'est fait construire un palais à côté de Ouarzazate. Un paradis sur terre, une félicité oasienne, Gabriel.

— Tu veux lui piquer sa femme et son paradis ?

— Oui.

— Pas moi.

— Fais pas le con. Tu m'appartiens. Tout le monde a vu Gunther entrer dans ta chambre hier soir. Si on interroge le personnel de la boîte, personne ne pouvait avoir envie de tuer Gunther. Dans les affaires de Gunther, dans sa chambre à l'hôtel, il n'y a pas les noms des petites putains occasionnelles qu'il manageait, des petites call-girls, recrutées ici et là, parmi les jolies demandeuses d'emploi, les TUC, les CES, les précaires, tu sais, le cul c'est la mine d'or du pauvre, disait Céline, c'est foutrement vrai, mais dans la valise en cuir de cul de phoque de Gunther il n'y a qu'une photo, celle de Cheryl. Cherchez le jaloux...

— Ça n'a pas de sens.

— Demande à Ben. Il excelle dans la comm', il

peut donner du sens à une photo de ta poule. La pulpeuse poule du Poulpe dans la valise d'un mac.

Je n'avais plus envie de jouer, j'ai pensé à Cheryl, j'avais besoin d'elle, et besoin de la protéger. Il fallait que j'appelle. J'ai eu la vision de Gunther dans la fiente, avec ce putain de sourire, j'avais le goût de la merde de pigeon et des feuilles de menthe dans la gorge et le nez ; j'ai traversé le labyrinthe du souk les yeux fermés, et la place Jemma El Fna où j'ai pris un petit taxi, une Simca 1000, pour rentrer à l'hôtel. Dans le taxi je me suis rendu compte que j'avais un serpent autour du cou, et des colliers berbères, et des babouches climatisées dans mes poches, et j'ai tout balancé par la fenêtre à mes vendeurs qui me poursuivaient en m'invectivant. Arrivé à l'hôtel j'ai vu dans le hall, sur des banquettes, tenant conciliabules, palabres et harangues, des dizaines de membres désemparés de notre petite communauté boulonnaise. Il y avait aussi des policiers et des journalistes et tout un tintamarre tonitruant d'un tohu-bohu prémédiatique. J'ai foncé vers la fille préposée au téléphone international et j'ai appelé le salon et l'appartement de Cheryl mais en vain. Au salon j'ai appris de la bouche d'une shampouineuse que Cheryl avait pris un petit congé maladie. Sur le répondeur de l'appartement j'ai appris qu'on pouvait la joindre au salon de coiffure. Je suis allé dans ma chambre pour réfléchir et peu après on a tapé à ma porte et puis aussi j'ai vu derrière la baie vitrée un athlète noir plonger dans l'eau turquoise de la piscine. Cet athlète noir m'a fait envie et je me suis déshabillé indifférent aux coups redoublés contre ma porte. Vêtu d'un simple maillot de bain j'ai sauté par-dessus la rambarde du balcon, au moment où la porte de ma chambre explosait, trois policiers faisaient irruption, l'arme au poing, suivis par le directeur de l'hôtel. J'ai baissé la tête dans mon buisson de plantes grasses et j'ai rampé jusqu'à l'eau turquoise dans laquelle je me suis laissé glisser mais dans l'eau il y avait un homme tout habillé et cet homme c'était Ben et il perdait du sang en abondance. L'athlète noir était sur le plongeoir les mains sur les hanches, les yeux affolés, il semblait vouloir me prévenir d'un danger.

— He, you, this man is dead. Don't play with him.

Je me suis mis à trembler dans l'eau, tellement que ça faisait des ondes, des vagues, des clapotis et l'athlète noir m'a aidé à sortir. Il m'a conseillé de rentrer mettre un pull, une petite laine, mais ma chambre, my bedroom, était infestée de flics et je me voyais mal parti, parce que la nuit tombait, qu'il y avait dans l'eau rouge un homme mort et des flics dans ma chambre, et que j'étais en petit slip panthère comme un con dans la petite palmeraie miniature de ce jardin d'hôtel à la con. J'ai essayé de convaincre l'athlète noir de me prêter ses vêtements secs et amples et de bonne facture, ou à défaut de vêtements, son peignoir blanc et moelleux, mais nib. J'ai haussé les épaules et je l'ai assommé en lui cognant les tempes avec mes deux mains en cymbales, zim boum.

Les doux travelos d'Hercule

Boum. J'ai enfilé ses vêtements avec un certain plaisir, je suis sorti du périmètre de l'hôtel et j'ai avancé à la rencontre du crépuscule. J'avais envie de trouver un petit hôtel miteux dans la médina et d'y passer une nuit ou deux le temps de retrouver mes esprits, comme on dit. C'était Léo qui m'avait embrouillé, je le savais depuis le début, mais j'avais eu envie de me faire embrouiller, bien niquer, comme Tchang avait niqué Léo, si on veut, et comme Léo avait voulu niquer Tchang et moi. Le seul qui niquait personne c'était moi et je me demandais qui niquait Cheryl. J'étais cocu jusqu'à l'os. D'une cabine j'ai appelé l'hôtel et j'ai demandé Léo Spitz mais Léo Spitz n'était pas là. On m'a passé Samantha. Elle m'a dit que c'était horrible, pas possible, non, oh, Ben, ce n'est pas possible ce qui lui est arrivé, dans la piscine. Elle m'a demandé de lui dire où était Léo. Je lui ai dit que je ne savais rien de Léo Spitz ou du docteur Spok, que je n'avais jamais eu d'ami de ce nom, que je ne croyais pas en l'amitié. Elle m'a dit qu'elle serait à la Mamounia cette nuit vers une heure. Seule. Elle a ajouté qu'elle se sentait seule et que, oh Gabriel si vous saviez comme j'ai envie de vous. Dans les poches de mes vêtements de lin blanc, dérobés à un athlète noir sur le bord de la piscine de l'hôtel, j'ai trouvé quelques billets froissés bienvenus, dollars et dirhams. Le lin et les dollars se froissent avec noblesse, et aussi les draps des hôtels miteux ? J'avais envie de me faire la petite mère Samantha, mais sans douceur, je ne savais trop quel rôle elle jouait mais j'allais lui faire chanter le répertoire à la diva de la comm', j'allais lui remplir son petit vase communicant. J'ai essayé de joindre Cheryl, en vain. La nuit tombait sur la place Jemma El Fna, et des lampadaires jaunes absorbaient les poussières et vapeurs et une brume grise et mauve enveloppait les êtres et les choses et les insectes ailés et les insectes rampants et l'entrée de la médina semblait celle d'une grotte fantomatique. Si j'entrais dans cette grotte j'allais y rencontrer Cheryl et Léo et Samantha et les fantômes de Gunther et de Ben, et qui encore, Tchang, peut-être, revenu de l'enfer ? À l'entrée de la grotte il y avait une très jeune fille aux épais cheveux rouges qui me pria de venir chez elle baiser son cul mais à la réflexion c'était plutôt un très jeune homme bien fait. L'athlète noir m'avait bien laissé des préservatifs dans ses poches mais je n'avais pas plus envie de me préserver que d'aller tirer un petit coup avec cet éphèbe — ou Erèbe, fils de Chaos et frère de la Nuit, qui m'invitait à valser sur son wild side, je l'ai écarté d'un revers de la main et je suis entré dans les ruelles du souk mais le petit Marocain coquin m'a rattrapé pour me proposer des bonnes choses à fumer entre amis. Je n'avais pas d'amis, je n'en avais jamais eu et je ne croyais pas en l'amitié, pas plus qu'en l'amour.

La vérité de l'amour ou de l'amitié était la trahison, et j'étais servi, bien trahi de toutes parts. J'étais quand même bien plus heureux avant, quand on pouvait compter sur ses amis et choisir son camp, les Indiens contre les cow-boys, les gauchos contre les fachos, définir une stratégie, niquons-les, une politique, no passaran, afficher des convictions, taper sur des nazistes, corriger des racistes, bouffer du curé, sans risquer que les fachos soient sympas ou les racistes talentueux ou les curés pas bégueules, j'aurais bien aimé sauver une veuve et un orphelin, veuve de martyr et orphelin de gauche de préférence, et mon petit Marocain rouquin m'a tiré à nouveau par la manche pour me glisser un mot chiffonné. Il m'a réclamé un bakchich et comme je l'envoyai se faire foutre il m'a dit nadine mouque, j'avais déjà entendu parler de cette Nadine. Sur le mot on m'invitait à une « oasis party » au large de Ouarzazate dans un night-club, « les doux travelos d'Hercule ». On me disait de venir avec Cheryl. Un muezzin glapissait dans ma tête. J'ai cherché le petit Marocain mais il avait fui. Deux filles voilées m'ont croisé et m'ont lustré d'un petit coup de leur regard de velours noir. Elles ont trop vite disparu. Il y avait des mirages partout. Pas d'indices, pas de preuves. Rien n'existait peut-être, sinon la nuit. J'avais rendez-vous avec Samantha à une heure à la Mamounia. Je n'ai pas cherché un hôtel pour la nuit. J'ai appelé Cheryl chez elle mais je suis tombé sur son répondeur qui émit une bribe de morceau de musique orientale de Nusrath Fateh Ali Khan. J'ai raccroché sans laisser de message. J'aurais voulu avoir sur moi ma bible édifiante, la vie de Jetsün Milarepa, qui était celui qui atteignit les dieux vivants dans la Cité de la Grande Délivrance où règne une indescriptible félicité, obtenant et développant en même temps le Quadruple Principe de l'Immortalité, mais l'athlète noir ne m'avait rien laissé de tel et je me suis installé à une terrasse sur un toit en attendant qu'il fût l'heure de rejoindre Samantha. Je pensais qu'un type comme Milarepa m'aurait autrement tiré d'affaire.

Vers la cité de la grande délivrance

Un vieux type est venu s'asseoir à ma table et il avait un faux air de Tchang. Bien sûr, cela faisait presque vingt ans que j'avais pas vu Tchang, et il peut sembler difficile d'établir une ressemblance entre un lycéen français de dix-huit ans et un conteur arabe d'environ soixante-dix ans mais j'étais suffisamment naze pour superposer les deux visages. Les deux étaient des pauvres, des mendiants, des nomades, qui n'avaient pas besoin du monde. Ils vivaient au-delà de l'horreur du monde. Ils ignoraient la beauté du monde, ils s'en tapaient. Ils avaient le cul collé à leur vieux slip bouffé par la vermine et ça les faisait se tortiller et grimacer mais le passant n'y voyait qu'un sourire lointain et une danse gracieuse de charmeur de serpents. Le vieil Arabe avait un vieux chien et je me suis rappelé du vieux chien des parents de Tchang, c'était le même, la même horrible bête. Et le vieil homme a commencé par commenter un journal et étayer la relation du journaliste avec ses propres convictions murmurées d'une voix éraillée à peine audible à vingt centimètres de sa bouche édentée. L'état-major général de la douane, à commencer par son directeur Ali Ammor et son prédécesseur Hamad Hokaimi, ne tarderait pas à se retrouver devant la justice de son pays avec au moins une bonne vingtaine de ses complices haut placés tous coupables de contrebande et de dissimulation d'actes de fraude. Le ministre de l'Intérieur lui-même, Driss Basri, voulait mettre fin à ces trafics éventés ; il avait déjà touché des petits trafiquants, des gros bonnets de la drogue, des proxénètes internationaux, directeurs de sociétés marocaines, françaises, ou multinationales, commerçants en gros, policiers et douaniers corrompus. C'est quand j'entendis le nom de Ahmed Hamza que j'ai entendu le déclic dans ma tête. Ben avait prononcé ce nom ce matin même avant la réunion, il devait le voir à Casa après son rendez-vous avec les managers de la Wafabank. Il ne le verrait pas. Ahmed Hamza était l'un des responsables de la Commission de lutte contre la contrebande, et il était dans le collimateur de la justice pour fraude, contrebande et corruption. La plupart des hommes dont parlait mon vieillard étaient des hauts fonctionnaires, des dignitaires du régime, et si Ben avait été l'un des consultants en communication de son Altesse le Roi lui-même, nul doute qu'il eût un jour à les rencontrer. Ils étaient à n'en point douter des gens avec qui il était aisé de faire de juteuses affaires sous couvert de vendre un sens et une image au régime d'Hassan II. Le journal prévoyait un cataclysme et redoutait un séisme politique semblable à celui qu'avait provoqué deux ans plus tôt l'inculpation du tout-puissant commissaire Tabet, chef des Renseignements généraux de Casablanca, accusé puis fusillé pour le viol de plus de cinq cents femmes. « On a fusillé un homme mais le fonctionnement des institutions n'a pas été remis en cause », ajouta mon mendiant politologue. Il me faisait sacrément penser à Tchang. Au père de Tchang ; avec un chien pareil. Un chien qui aurait senti le poil pluvieux, le chien mouillé, même au cœur de la saison sèche. Il était bien évident que Ben, Gunther, Léo, Samantha et je ne sais quels consultants encore avaient trafiqué avec les corrompus et corrompu les trafiquants et qu'il y avait de la place au soleil pour tout le monde, surtout si tout le monde voulait rester à l'ombre, autrement dit il y avait des retraites oasiennes dans le Sud marocain pour ceux qui ne voulaient pas grelotter boulevard Jean-Jaurès à Boulogne-Billancourt en hiver. Ben et Gunther et Léo se ressemblaient tellement dans leurs façons seigneuriales de cons sultans, leurs privilèges, leur adhésion superficielle à l'ordre établi et leur art consommé de niquer les institutions, leurs nourrices et protectrices, pour avoir le beurre, l'argent du beurre, le cul de

72

la crémière, la sympathie du crémier, la crémerie en héritage, les vaches, les cochons, les couvées, tout leur était dû parce qu'ils savaient faire paraître malin un crétin politique ou rendre populaire une industrie criminelle. Ils étaient de nouveaux docteurs Goebbels auprès desquels le lieutenant d'Hitler faisait figure de Nosferatu d'Alcazar. Le vieux mendiant avait replié son journal et s'était assis à ma table et son vieux chien s'était couché sur mes pieds, et j'ai entendu la voix de Tchang demander où était son chien. Ce vieux mendiant n'aurait pas aimé partir sans son chien, sans savoir où irait son chien ; personne ne s'était occupé du chien de Tchang. Il me semblait que si je pouvais faire quelque chose sur cette terre, faire œuvre utile, la seule petite chose que je pouvais faire pour Tchang n'était pas de flinguer tout un sérail communicationnel d'enculeurs patentés mais retrouver son clebs. Les Léo et autres perroquets savants étaient balèzes à l'aise dans la baise sociale à qui mieux mieux tant mieux et Tchang s'était fait avoir par les émotions, les passions, les instincts et la bibine caca pipi tant pis. Le vieux mendiant me montrait une étoile dans le ciel au-dessus des fumées de la place Jemma El Fna, aux mouvements de houle et de sable, aux braseros somnolents et aux cris étouffés. J'étais pas si mal que ça sur mon toit, comme un pou sur une tête. J'ai pensé à toutes ces putains d'affaires que j'avais démêlées, j'en avais assez fait, merde, pour les causes perdues, l'humanité souffrante, j'avais le droit de me reposer. Je m'étais toujours démerdé pour la thune, elle était toujours tombée du ciel quand je zonais depuis quinze jours avec rien dans les poches sinon des trous. J'en avais marre de résoudre des affaires pourries pour tirer ma petite commission, ma petite révérence, faire l'élégant, l'arnaqueur et le providentiel, comme un baveux, un avocat, somme toute. Redresseur de torts, c'est pas un métier, c'est comme Dieu ou le père Noël, passé un certain âge, on a le droit de moins y croire, de juste faire semblant, pour les enfants et les

73

malheureux, tous ceux qui ont besoin de croire aux jours meilleurs et à l'irrésistible victoire de l'Équité et du Bien. Toute cette merde dans les yeux. Après cette nuit il y aura le jour et après le jour il y aura une autre nuit et c'est ainsi que le temps tourne, le temps ne change pas, il tourne, et retourne, et j'étais dans ma nuit marocaine comme une barque en plein désert qui attendait la pluie d'orage. Je n'avais pas envie des fracas de l'orage mais j'avais besoin de la pluie généreuse, la pluie féminine et sucrée. J'ai souri en fermant les yeux et quand j'ai ouvert à nouveau les yeux j'ai vu que mon mendiant vénérable souriait aussi, et il s'est levé, m'a salué, il a payé son café et il a quitté la terrasse, par le nord, et je l'ai quittée par le sud. Rien ne pourrait m'empêcher d'atteindre le pays de la Grande Délivrance. Mon chemin passait par le cul sombre et mystérieux de Samantha, l'envers des choses et le revers de son profil de sainte médaille.

Saint-Abstème

Je suis arrivé à la Mamounia avant minuit et je suis tombé sur un vice-consul des Indes complètement prostré sur un banc de pierre dans un petit jardin bleu-vert où bruissait (sic) une petite fontaine des mille et une nuits. Le gros diplomate mou m'a tendu un petit fascicule et il m'a dit allez-y, posez-moi une question. Il y avait effectivement tout un questionnaire utilisé par l'hôpital de l'université John Hopkins, Baltimore, Md, servant à déterminer si un patient était ou non alcoolique.

1. La boisson est-elle une cause d'absence de votre travail ?
2. Le fait de boire rend-il votre famille malheureuse ?

3. Buvez-vous parce que vous êtes mal à l'aise avec les gens ?

4. Buvez-vous au point d'affecter votre réputation ?

5. Avez-vous jamais éprouvé du remords après avoir bu ?

6. Avez-vous éprouvé des difficultés financières du fait d'avoir bu ?

7. Lorsque vous buvez, fréquentez-vous des mauvais compagnons et un milieu de condition inférieure ?

8. Négligez-vous le bien-être de votre famille lorsque vous buvez ?

9. Depuis que vous buvez, manquez-vous d'ambition ?

10. Êtes-vous obsédé par le désir de boire à certains moments du jour ?

11. Désirez-vous prendre un verre le lendemain matin ?

12. Avez-vous des difficultés à dormir lorsque vous buvez ?

13. Vos capacités ont-elles diminué depuis que vous buvez ?

14. La boisson compromet-elle votre position ou votre commerce ?

15. Buvez-vous pour fuir des ennuis ou des embarras ?

16. Buvez-vous seul ?

17. Avez-vous déjà eu une perte de mémoire lorsque vous buvez ?

18. Votre médecin vous a-t-il déjà traité pour alcoolisme ?

19. Buvez-vous pour raffermir votre confiance en vous-même ?

20. Avez-vous déjà fait un séjour dans un hôpital ou dans une institution à cause d'alcoolisme ?

Si vous avez répondu oui à l'une de ces questions, il y a présomption que vous soyez un alcoolique ; si vous avez répondu oui à deux de ces questions, les chances sont que vous êtes un alcoolique ; si vous avez répondu oui à trois questions ou plus, vous êtes définitivement un alcoolique.

— Allez-y, jeune homme, posez-moi une question, dit le vice-consul. Je suis incollable. J'ai eu 20 sur 20.

— Quand vous avez bu, êtes-vous pris d'une envie soudaine de casser la tête de vos ennemis et même parfois de vos amis, de souhaiter le déluge et la fin du monde, le big boum final, pour mettre tout le monde d'accord et enfin savoir le pourquoi du comment s'en foutre ?

— Depuis que je bois, je n'ai plus d'ennemis, plus d'amis, je ne souhaite rien à personne.

— De quoi vous plaignez-vous alors ?

— J'ai un problème avec la boisson, a drinking problem. Sauf quand je peux boire. Get a drink. Hi. (Il retourna les poches de son smoking blanc, vides.)

— Vous voulez que je vous offre un verre ?

— Hin, hi. Hon.

Ce putain de vice-consul se fanait sous mes yeux, se flétrissait comme un gros dahlia blanc malade.

— Vous n'avez pas vu passer une belle femme très brune et très bronzée, sans fesses ou presque ?

— Ah oui, et même deux, hi. (Il se tordit pour rire comme un bossu, enfin, un bossu qui aurait eu le cœur à rire malgré sa gibbosité.) Un jour mon fils m'a demandé ce que c'est qu'un ivrogne, alors je lui dis tu vois, fils, ces deux messieurs devant nous, eh bien l'ivrogne il en voit quatre, et là-dessus mon gamin me dit mais papa, il n'y a qu'un monsieur, devant nous. Vous avez compris ? Plus même capable de savoir si un et un font quatre, honte sur moi, opprobre, shame on me !

J'ai laissé le vice-consul s'étrangler de rire et de dégoût. Je n'avais pas envie de me soûler avec lui.

Zorro

C'est grand la Mamounia, on peut s'y perdre, surtout la nuit, dans ce décor des années trente. J'avais l'impression de tourner en rond, et derrière moi j'entendais des pas et des bruits de voix, des sons gutturaux et rauques, et des rires cassés, et puis venue d'ailleurs, jolie, une musique raï. J'approchais de l'entrée du casino, il m'a semblé voir Samantha de loin, en robe blanche moulante, et en cillant les yeux quand elle m'a tourné le dos j'ai discerné en bas du dos deux cernes tristes, deux ombres sombres qui pouvaient être les fesses. Cette fille avait tout pour plaire sauf les fesses. Elle semblait chercher quelqu'un des yeux, peut-être moi, j'allais alors sortir de l'ombre de mon bosquet quand des mains m'ont tiré en arrière, vers les épines du bosquet. Je suis tombé à la renverse, j'ai vu les fruits orange amère d'un grand bigaradier et un croissant de lune dans les branches, mais ce n'était pas un croissant de lune, c'était la lame d'un couteau courbé comme une petite faucille. Il y avait aussi quatre ou cinq visages au-dessus de moi soudain, quatre ou cinq bouches garnies de dents blanches et pointues, il me semble, des bouches souriantes, mais pas vraiment de sourires amicaux, et j'ai senti des pointes de couteaux sur mon ventre, sur mon cou, sous ma gorge. Et puis des mains m'ont tâté, palpé, peloté, fouillé, chatouillé. Ils cherchaient quelque chose. Ils m'ont envoyé bouler sur l'herbe bleue. Ils m'ont craché dessus et m'ont gratifié la couenne de quelques coups de bâton. Celui qui semblait être le chef, un petit Marocain avec une fine moustache luisante qui le faisait ressembler à Zorro a approché son visage du mien et m'a demandé ce que m'avait dit le vice-consul, et ce que j'avais dit, moi, et s'il m'avait donné quelque chose ou si je lui avais donné quelque chose. J'ai répondu que je ne connaissais pas de vice-consul, alors Zorro m'a insulté dans sa langue maternelle et il s'est évanoui dans la nuit complice avec ses sbires. J'étais allongé sous le bigaradier et Samantha est arrivée, c'était elle en robe blanche avec des doigts très doux, malgré les lourdes bagues.

— Je t'ai attendu, dit-elle, j'ai peur. Il faut partir. Tout est allé si vite. Je ne comprends pas.

— Comprendre quoi ?

— Ben et Gunther. Ils sont morts, n'est-ce pas ?

— Où est Léo ?

— Nous allons le rejoindre. Viens. Qui t'a attaqué ?

— Je ne sais pas, un type qui ressemblait à Zorro. Où veux-tu m'emmener ?

— On va retrouver Léo. Je sais où il est.

— C'est lui qui a tué Ben et Gunther ?

— Bien sûr.

— Pourquoi ?

— Pour moi.

J'étais scié. Léo avait tué deux types, il avait aussi envoyé Tchang au suicide, uniquement pour Samantha, la fille sans cul ? Bien sûr, Samantha c'était aussi la boîte de communication, soixante employés, des filiales, c'était trois appartements à Paris, une maison à Tourette-sur-Loup, une autre à Hossegor, et une sorte d'hacienda au large de Ouarzazate, en plein désert. C'était l'hacienda qui faisait fantasmer Léo. C'était là que nous allions, cette nuit, Samantha fébrile et moi à côté de mes pompes.

Mon avion

Une file de taxi attendait à la sortie de la Mamounia, attention, pas celui-là, a dit Samantha alors que j'ouvrais la portière du premier, et elle m'a poussé dans le deuxième taxi, une Mercedes. Elle a tapé sur l'épaule du chauffeur et la voiture a démarré dans un nuage de poussière. Nous sommes sortis de la ville et nous avons roulé dans la nuit fraîche, sous les étoiles, jusqu'à une piste d'atterrissage qui semblait ne dépendre d'aucun aéroport visible. C'est alors que j'ai vu mon avion dans les pleins phares. Un Polikarpov I-16 type 10, vert sombre dans la nuit, comme un oiseau au chant grave et mélancolique, un oiseau et un chasseur, un petit chasseur simple et court, en bois, aux ailes en toile et en métal, mais putain qu'est-ce qu'il faisait là, mon avion ? J'avais les larmes aux yeux.

— Il est à toi, a dit Samantha.

J'ai éclaté en sanglots. Mon vrai avion.

— Il vient d'Espagne, a encore dit Samantha. Léo est allé le chercher lui-même.

Il venait d'Espagne. Quatre cent soixante-quinze exemplaires I-16 avaient été livrés aux Républicains espagnols, qui avaient surpris leurs adversaires par la vitesse et la maniabilité de leurs engins. Des mitrailleuses à mille huit cents coups la minute ! L'avion mythique.

— À moi ? j'ai balbutié entre deux hoquets. Mais comment, pourquoi ? Qui vous a dit ?

— Léo s'est souvenu. Léo se souvient de tout. Léo vit beaucoup dans le souvenir. Il vous idolâtrait, Tchang et toi. Il aurait tout donné pour vous réunir.

— Il m'a vaguement dit ça. Mais je ne comprends pas. Où est Cheryl ? Est-ce que Cheryl est par ici, est-ce qu'elle est dans le coup ?

— Fais pas chier avec cette pouffe, dit sèchement Samantha.

Je suis descendu du tacot pour aller caresser mon avion. C'était un vrai, pas un mirage. Le chauffeur de taxi est descendu et il m'a demandé de l'aider à remettre une bâche sur l'avion. C'est ce que j'ai fait et puis je suis remonté dans le taxi et nous sommes repartis ; nous sommes arrivés avant l'aube, juste avant, à l'hacienda. Samantha dormait contre moi, j'étais bouleversé, et j'avais envie d'une grande bière chambrée avec un petit verre de rhum agricole.

Rouge

L'hacienda était une sorte de fortin rouge au milieu d'une oasis au milieu d'un désert minéral au pied des montagnes pierreuses. Le taxi avait dû rouler sur ces cailloux hostiles parce que j'avais le dos complètement niqué. Et puis j'avais l'impression que tous les os de Samantha, et elle avait des os en très grand nombre et un sacré sacrum, s'étaient plantés comme des flèches dans mon grand corps meurtri. Beaucoup de choses se bousculaient dans ma tête, Tchang et l'avion, Ben et Gunther, Léo et Samantha, Marrakech, l'hôtel, sa piscine, et soixante-dix salariés français en week-end gratuit. J'avais peur de sortir du taxi et de revoir Léo. Pendant le voyage Samantha s'était collée à moi et j'avais l'impression d'être un jouet. J'étais un petit soldat en plastique — Action Joe —, je pouvais rentrer dans l'avion, je pouvais serrer la main de Léo, je pouvais m'accoupler à Samantha. J'avais du pop-corn dans la tête. Quand Samantha a ouvert les yeux, j'ai juste dit que je voudrais rentrer chez moi.

— Chez toi ? Mais tu dors à l'hôtel ! C'est ici chez toi, désormais.

— Non merci. Je pense que vous n'allez pas tarder à avoir des ennuis avec la police marocaine, avec la police française, je pense aussi que vous n'allez pas tarder à vous foutre sur la gueule tous les deux, Léo et toi, parce que vous serez deux rapaces dans la même cage. Vous n'avez pas besoin de moi.

— Besoin, non, peut-être pas, mais envie, ça sûrement. Moi j'ai envie de toi, et Léo te veut à ses côtés. Léo a peur du temps qui passe. Il veut que son passé le rejoigne, comme il veut que la réalité rejoigne son rêve. Chacun a un désir, Léo est enfin arrivé au bout de son désir. Il faut aller au bout de son désir. Vis ton rêve, feel free.

— Ah bon ?

Je suis sorti de la voiture, et j'ai marché sous les palmiers. Le sable était rouge et le grand mur d'enceinte était rouge et le ciel au-dessus des montagnes était rouge à présent. Il y avait au bout de l'allée un grand portail en fer forgé et je ne voulais pas aller au-delà du portail, je ne voulais pas entrer dans la maison, qu'elle s'appelât hacienda, fortin, ferme du désert ou pavillon de banlieue. Je n'avais pas envie de voir Léo. Je me suis assis sous un arbre et j'ai hoché la tête doucement pour la vider de ses impuretés.

Samantha m'a rejoint pour me dire que Cheryl viendrait me rejoindre, dès qu'on saurait où elle était. Il y avait bel et bien un mystère Cheryl.

Léo est apparu dans l'embrasure du portail, les pieds nus, en djellaba, les cheveux mouillés par une douche fraîche. Il souriait les bras écartés. Il avait de très belles dents blanches. Il était beau comme un prince arabe.

— Il est beau comme un prince arabe, a dit Samantha.

— Tout est à toi, a dit Léo de sa voix chantante. Prends. Prends Samantha, prends la maison, l'avion, la voiture, prends-moi, tout ce qui est à moi est à toi. Des filles nous rejoindront, les petites que Gunther a formées. Elles sont à nous, à toi. Nous sommes les amis du roi, nous n'avons pas de soucis à nous faire. Tout est à toi. Tu es mon ami d'enfance.

— Merde à l'enfance.

La fausse mort d'un faux caïd

Samantha a couru vers Léo et elle a enfoui son museau dans la djellaba.

— Il faut savoir vivre, a dit Léo. En profiter avant d'être vieux. Tchang aurait pu partager tout ça avec nous. Samantha t'a montré ton avion, exactement le même que dans tes rêves, non ?

— Merde à l'avion, merde à mes rêves et merde à Tchang. Ta pétasse m'a prié d'aller au bout de mon désir, mais sur le coup je n'avais pas de désir, du moins je croyais, eh bien si, mon désir c'est de me sentir propre, après toutes ces heures de route, de mauvaise route.

— Il y a tout ce qu'il faut ici.

— Je ne vois rien, sinon un petit couple d'abrutis modernes. Je vois bien ce qui s'est passé. Tu as reconnu Tchang à Boulogne et tu as décidé de t'en servir. Depuis longtemps tu voulais te débarrasser de Ben et Gunther parce qu'eux n'avaient plus besoin de toi. Ils avaient besoin de Samantha, bien sûr. Mais toi, tu n'as pas de qualités professionnelles, tu es juste un jouisseur, un petit jouisseur qui frime dans des restaurants chics et joue au seigneur ici, alors qu'il n'est pas même chez lui, qu'il n'est ici qu'un petit usurpateur. Tu voulais tout ce que Ben avait. Ses relations royales ici, ses propriétés, son bizness, et aussi le bizness de Gunther, tu voulais être un mac, toi aussi. Un dur de dur. Un caïd. Tu as voulu que Tchang tue Gunther d'abord et Ben ensuite. Je ne sais pas si Samantha était d'accord pour tuer Ben. C'est une chose que tu as peut-être improvisée, d'ailleurs. Tu as tué Ben parce que tu as trouvé ta vocation. Tu as trouvé amusant de tuer Gunther. Je me trompe ?

— Bien vu. J'ai pris un certain plaisir à les tuer. J'ai trouvé ça facile. Je comprends pourquoi les

tueurs à gages ne sont pas mieux payés. C'est beaucoup plus facile de tuer un homme qu'un animal, par
exemple. J'ai déjà essayé de chasser, eh bien je n'ai
jamais réussi à tirer le moindre lapin, tu te rends
compte.

— Si je me rends compte...

— Je pourrais te tuer et y trouver du plaisir. Ben
et Gunther aussi étaient des amis.

— Moi aussi je pourrais te tuer. Je n'y trouverais
pas plus de plaisir qu'à ôter un caillou de ma chaus-
sure, mais je pourrais faire ça.

J'ai pointé deux doigts dans sa direction et j'ai dit
pan, t'es mort.

— Je ne suis pas mort, a dit Léo.

J'ai tourné les talons et je suis remonté dans la
voiture.

— Laisse-le, a dit Samantha, c'est une merde, lui
aussi, tous tes anciens amis sont des merdes.

Léo a dit au chauffeur quelques mots en arabe et
il m'a assuré que je pouvais repartir en France tran-
quillement, que je ne serais pas inquiété. Il m'a dit
qu'ici on n'écrasait pas les merdes, on les laissait
sécher au soleil. La voiture a démarré en laissant derrière elle un nuage rouge.

La seule petite chose utile

Je ne sortais pas de ma dépression. Bien sûr je
picolais dur. Je ne me montrais pas à Sainte-Scolasse
et j'avais perdu Cheryl. Elle n'était plus chez elle, ne
m'avait laissé aucun message nulle part. Je pouvais
toujours traîner du côté du salon de coiffure, c'était
fermé pour cause de travaux. On était presque en
décembre, ça devait rouvrir pour Noël. C'était loin,
Noël, j'ai toujours trouvé ça loin. Je me sentais foutrement péteux, insatisfait, barbouillé. Je n'arrivais
pas à m'endormir. J'avais l'impression d'être obsédé

par un rêve et je n'arrivais pas à savoir si ce rêve était vraiment un rêve. Je voulais oublier le Maroc et toutes les anciennes colonies et protectorats, et oublier les boîtes de communication et mes anciens amis Léo et Tchang. Je jouais profil bas et je rasais les murs parce que je ne savais pas si j'étais ou non poursuivi pour les meurtres de Gunther et Ben. Je ne savais plus qui avaient été Ben et Gunther ni s'ils s'appelaient bien ainsi. J'avais pu rentrer du Maroc sans être nullement inquiété. Léo avait tenu sa promesse et moi la mienne : j'étais une merde. Bientôt ce furent les grèves des fonctionnaires et particulièrement des agents de la RATP et des cheminots. Ces grèves durèrent une bonne partie du mois de décembre 95. Je boudais vraiment Sainte-Scolasse, le pied de porc et Gérard et sa clientèle, j'en avais marre aussi de faire le pied de grue devant un salon de coiffure en travaux inachevés pour cause de grève des transports en commun. J'ai marché dans la ville, je voulais oublier Léo et mes pas m'ont ramené vers la place Marcel-Sembat. Je n'avais pas tiré de blé de l'affaire Léo Spitz sinon cinquante mille balles qui allaient vite fondre au soleil s'il y avait du soleil, ou se dissoudre dans l'alcool, je sentais des courants d'air derrière mes oreilles et je me suis planté à la porte de la boulangerie, à la sortie d'une des bouches du métro Marcel-Sembat, et j'ai attendu jusqu'à ce que je me sente redevenir Tchang. J'avais tout oublié de Milarepa sinon cette petite phrase triste : « *Nos cheveux, jadis ornés d'or et de turquoise, devinrent durs, raides et infestés de poux.* » Il ne me fallut pas plus d'une journée pour devenir Tchang. Je compris alors que la seule chose qui me manquait et sans doute aussi la seule petite chose utile était le chien, ce foutu clébard. Il était bien quelque part, ce chien de Tchang. Vous comprenez, n'est-ce pas, c'était bien la seule petite chose utile, retrouver le chien de Tchang, il l'avait oublié dans son grand départ, son grand soir, son suicide. Il fallait que je mène une enquête serrée, cette fois, que je ne m'en laisse pas compter par des Samantha sans fesses et des Léo en manteau à col de castor, par des Gunther montés comme des ânes et toute une bande de menteurs patentés qui vivent pour donner du sens à tout ce qui vit et même aux choses inanimées. En furetant de rade en rade, sans quitter le périmètre Marcel-Sembat, Porte de Saint-Cloud, île Saint-Germain, j'ai fini par retrouver le chien. Je n'étais pas sûr à 100 %, mais presque ; des anciens potes de Tchang me disaient que c'était bien lui, le chien de Tchang, que j'avais retrouvé sous l'arbre de Tchang, l'arbre contre lequel avait coutume de pisser Tchang, et puis d'autres me disaient que non, que c'était un autre arbre et un autre chien, alors ils se foutaient sur la gueule et le chien dérouillait en qualité d'objet de litige. Je n'étais pas devenu copain avec les cloches et autres SDF. À peine étais-je capable de compassion. En fait ces connards me déprimaient encore plus que je ne l'étais. Ils avaient le vin triste et ils puaient pour bon nombre d'entre eux. J'étais sans pitié. Je ne leur filais pas un rond, pas une thune. Ce n'est pas moi qui leur aurais lavé les pieds. La seule chose dont je leur étais reconnaissant, c'était qu'ils m'avaient fait oublier Tchang. Leur crasse et leur senteur vinasse m'avait débarbouillé de son parfum. La mort violente m'apparaissait comme un sort enviable comparé à leur agonie. Je n'ai rien contre une petite déchéance. Celui qui n'a jamais chuté ne peut rien comprendre. Mais le principal n'est quand même pas de chuter, c'est de se relever. Or je voyais tout ce petit monde mal parti pour relever la tête ou la queue. Pour eux c'était fini ou presque. Ils avaient les neurones bouffés par l'alcool et les courants d'air. Tous les circuits niqués. Ils tremblaient. Moi je me suis dit que c'était bien le chien de Tchang que j'avais retrouvé, en hommage à Tchang, par pure fidélité. La seule petite chose utile.

Mais je ne savais qu'en faire de ce chien. Je dormais à l'hôtel, Cheryl n'était pas là, et elle n'aurait pas voulu d'un chien clochard dans son salon de coiffure pimpant neuf, ce chien n'était pas un bichon, je n'avais pas de voiture où le faire dormir la nuit, je n'avais pas envie de le confier au pied de cochon à la Sainte-Scolasse, ce chien n'était pas un chien de bistrot ; chien d'ivrogne, peut-être, mais pas chien de garde tapi derrière un comptoir. Alors j'errais avec mon chien en laisse, et puis quand j'ai voulu lui apprendre à se passer de laisse, à marcher seul, il a traversé la rue sans rien dire et s'est fait écraser sous mes yeux par un camion du Bazar de l'Hôtel de Ville. Le sang du chien a explosé dans ma tête comme j'avais rêvé d'exploser les têtes de Léo Spitz et de sa maîtresse. Je suis resté longtemps sur le trottoir avec la laisse et le collier qui traînaient par terre et j'ai décidé de prendre une chambre à l'hôtel de la Reine Rose pour y finir ma vie. Il y a toujours un moment dans la vie où on n'est pas plus malin qu'un autre et même plutôt moins, eh bien c'était ce jour.

Le jour de mon suicide

Je suis passé à ma banque prendre mon solde. Je n'ai pas touché aux SICAV. J'ai pensé que je n'aurais jamais quarante ans et c'était bien ainsi. Il n'y avait pas de raison. Tant d'autres morts du sida, à la guerre, en voiture, du cancer, de la dope, de l'alcool, de la misère, suicidés, fous, grabataires, cons, abrutis, régressifs, diminués, gâteux, nuls, morts, j'allais rejoindre la mort, qui est une grande majorité silencieuse. Il n'y avait rien de tragique ni de désespéré dans ce suicide. J'en avais marre. Je suis allé à l'hôtel de la Reine Rose et j'ai demandé une chambre, et la patronne, une belle femme pétillante m'a regardé par en dessous comme si elle me connaissait. Je m'appelle Rose, a-t-elle dit, vous ne me reconnaissez pas ? Vous êtes venu avant les fêtes, ce devait même être avant les grèves, en novembre, pour votre ami. Elle a fait un signe du menton pour désigner une chambre, la chambre du drame, là où Tchang, vous savez... J'ai dit, je vous reconnais, je vous remets, et elle m'a précédé dans les étages et j'ai insisté pour avoir la même chambre que Tchang, j'étais détendu, bien, il me semble que j'étais satisfait comme quelqu'un qui rentre chez lui le soir et va passer une bonne nuit après une soirée peinarde devant la télévision. La patronne m'a demandé si je voulais qu'elle reste un peu avec moi, histoire de faire la conversation, tout ça, je lui ai caressé la joue avec le dos de la main, il y avait dans mon regard toute la mélancolie d'un ancien amant devenu très chaste et pieux. Et je lui ai déclaré que je comptais bien faire monter une pute ou deux, et champagne ! Elle m'a conseillé de ne pas faire de bêtises et je me suis alors souvenu que je n'avais ni balles ni pistolet. Le seul suicide convenable me semblait être une balle dans le caisson.

Je savais où me procurer discrètement une arme et des munitions sans déranger mes amis les plus proches, comme Pedro. Je ne voulais plus entendre parler de Pedro. Il y avait quelque chose en moi de cassé. J'ai téléphoné à un dénommé Racaille qui m'a donné rendez-vous dans un bar près de l'Odéon. J'avais connu Racaille un soir que trois balèzes au crâne ras tentaient de le violer sous prétexte qu'il était noir et les avait traités d'enculés. J'avais séché les trois cons, proprement, à mains nues. Putain c'était loin. Racaille dealait un peu de tout. Dont des armes. L'Odéon, c'était pas trop son quartier, mais il aimait bien à cause des étudiantes. C'était son fantasme, les étudiantes. Il rêvait de socquettes blanches et de culottes Petit Bateau. Il confondait étudiantes et pensionnaires du couvent des Oiseaux. J'ai pris le métro à Boulogne-Jean-Jaurès et suis descendu à Odéon et comme j'étais en avance je suis allé jusqu'à la Librairie d'Amérique et d'Orient chez Adrien Maisonneuve, J. Maisonneuve successeur, pour acheter un nouveau livre de Milarepa ou Jetsün-Kahbum. J'ai repensé à la chambre dans l'hôtel de la Reine Rose et à la patronne avec son nez de cochonne.

Mitterrand est mort

Je m'étais assez torturé pour Tchang, je pouvais entendre mon oraison funeste, le Poulpe bat sa coulpe et roule ma poule, bonjour en enfer. Que me disait Milarepa, en ce jour de janvier ? J'ouvris le livre au hasard.

« *Ô Seigneur, lorsque tu manifestais les signes de Ton miraculeux siddhi,*

Tu étais pareil à un lion ou à un éléphant,

Un Yogi sans crainte et valeureux,

À Toi, affranchi de la peur, nous adressons cette prière :

Accorde-nous le Chaitya que les Dâkinîs tiennent entre leurs mains,

À nous Tes Shishyas et Tes successeurs sur la Terre. »

Je me dis que putain de bordel de merde jamais je ne comprendrais de ma vie un traître mot de ce bouquin, dussé-je y passer le restant de mes jours et même si on m'expliquait chaque mot un par un, et que malgré ça, je comprenais quand même mieux ce putain de bouquin chiatique que ma chienne de merde d'existence. Alors j'eus envie de pleurer et de rire en même temps, un peu comme Grandgousier à la naissance de Gargantua, qui perd une femme morte en couches mais gagne un fils gras et joyeux. J'ai jeté le livre le plus loin de moi que je pouvais, en direction de l'église Saint-Sulpice et le livre est tombé sur la tête de Racaille. Il a sorti un flingue de sa poche de manteau et m'a mis en joue.

Racaille n'a pas tiré mais les pigeons et les passants de la rue se sont dispersés dans le calme et la dignité. Racaille m'a serré contre son cœur sec.

— J'ai ton gun, j'ai aussi une herbe péruvienne à te rendre fou.

— Merci, dis-je, je suis déjà fou, j'ai l'impression d'en sortir, mais j'ai passé un sale automne, j'ai pas vu passer les fêtes, j'espère que l'hiver sera doux et clément. Je suis encore dans le pâté. Je comprends pas le sens de la vie. Rien n'a de sens. Le problème n'est plus d'avoir bonne ou mauvaise conscience, mais c'est déjà d'avoir une conscience, non ?

— Con, science, tu piges, mec, la science est con, vous autres les savants, les bavards, les causeurs, vous savez tout et vous êtes des cons. Tu veux que je te dise, Poulpe, tu niques pas assez, c'est ça la vérité des choses, je sais pas où se cache ta meuf, mais va la voir et dégorge. Je te sens plein de pus, plein d'humeurs, une infection totale. Allez, viens payer ton coup. Tu sais quoi, Mitterrand est mort.

— Ah bon ?

J'avais sacrément bien fait de ne pas m'exploser le caisson parce que personne n'aurait pensé à moi. Et tout à coup, j'avais envie qu'on pensât à moi.

— T'as pas envie de manger un pied de cochon ?

— Je ne mange pas de cochon.

— Le pied de cochon, tu manges pas vraiment, tu suces les os.

— Cherche pas à me faire sucer un cochon, tu le veux, ton gun ? Moi j'en veux pas. Alors prends-le et va sucer tes cochons.

Seule la vérité est révolutionnaire

Au Pied de Porc à la Sainte-Scolasse, Gérard derrière le comptoir discutait avec un petit chauve en pardessus gris, il m'a vu entrer par-dessus le crâne du client, a ouvert des yeux ronds comme des soucoupes et il a vidé toute une bouteille de rouge dans un verre ballon de douze centilitres et demi et le petit chauve s'est retrouvé constellé de petits pois bordeaux.

— Un fantôme !

— Une bière, ai-je lâché la gorge nouée.

— Et il parle ! Il nous parle ! Monsieur nous parle ! Monsieur ne donne pas signe de vie, n'envoie pas de cartes postales, pas de vœux à la Noël et la nouvelle année, et il revient comme ça, bonjour la compagnie, c'est la mort de Tonton qui te fait sortir du bois ?

J'ai jeté un coup d'œil ému sur le décor à la con, c'était comme si je retournais chez mes cousins du Poitou, moches, cons, indispensables, surtout en hiver, plus chauds qu'un Thermolactyl. Dans ce rade aux grosses lampes orange, au papier peint géométrique, avec cette photo gigantesquement nulle de la mairie de Sainte-Scolasse, il y avait ma place, ma table et mon couvert et même dans une certaine mesure mes amis. C'était là que je venais tous les matins, avant la mort de Tchang, et quand je m'éloignais pour bizness et compagnie, je ne manquais jamais d'envoyer une petite carte postale. Et quand je revenais on souriait en lançant, tiens revoilà le Poulpe. Vlad, le garçon, a sorti Léon, le chien de bistrot, ou bien c'est Léon qui a sorti Vlad, et j'ai pensé que Léon ne se ferait jamais écraser comme le chien de Tchang, et que Vlad ne finirait jamais comme Tchang. Je ne savais plus si j'étais proche de Vlad, de Gérard ou de Léon, ou bien de Tchang. J'avais l'impression d'être encore faible sur mes cannes, de revenir de loin, très loin, un mauvais rêve très dur à dire, un peu filandreux et poisseux, comme ces trucs dans les trains fantômes. J'avais l'impression de me rapprocher de moi, de remonter à la surface, regagner le port, reprendre mon souffle.

— Elle vient cette bière, j'ai dit en faisant tonner ma voix.

Maria, la femme à Gérard, comme on dit ici, est sortie de sa cuisine pour me serrer contre elle et son tablier. Elle m'a remonté les bretelles et tiré les oreilles et elle a dit à Gérard en souriant Gabriel est revenu et elle est retournée dans sa cuisine. Et puis tout le monde ou personne n'a plus rien dit, et je me suis senti tout con.

Gérard s'est raclé la gorge et m'a demandé des nouvelles de Cheryl. J'ai répondu que j'allais justement leur en demander. Personne n'avait de nouvelles de Cheryl alors j'ai pris *Le Parisien* sur le comptoir et je suis allé m'asseoir à ma place habituelle. On ne parlait pas de Cheryl dans le journal et c'était déjà ça. Par contre on revenait sur les meurtres des deux directeurs de cette agence de communication française partis au Maroc en séminaire en novembre. On recherchait à présent Léo Spitz, un autre directeur de l'agence, et la directrice Samantha Delarge, tous deux disparus depuis l'incendie de leur propriété oasienne au large de Ouarzazate. Je me suis pris la tête dans les mains, j'ai dégluti un grand coup, je me suis dit que j'étais dans la grande confusion du monde, ou grande contusion, comme on veut, sans comprendre, sans choisir, en plein hiver, Mitterrand était mort, et il avait toujours menti, et la vérité, seule la vérité est révolutionnaire.

J'ai continué à vivre, en roue libre. J'avais l'impression de faire la planche en attendant de savoir nager.

Pas de cul, tant pis

Plus tard... Il n'y avait toujours pas de feuilles sur les arbres coupés aux coudes, nus et noirs, noueux, des avenues parisiennes. Je savais que Cheryl avait rouvert son salon de coiffure et les volets de son appartement du dessus mais je n'avais pas encore cherché à la revoir. Je me sentais convalescent. Je la sentais grippée. J'attends un printemps définitif, une vraie renaissance, une montée de la sève.

Un matin, avant même de pouvoir prendre le journal sur le comptoir Gérard m'a tendu le téléphone, c'est pour toi.

— Oui, allô ? j'ai fait.

C'était la patronne de l'hôtel de la Reine Rose, à Boulogne, la femme au nez de cochonne. Elle me priait de venir immédiatement. J'ai entendu des cris et des bruits dans l'écouteur et ça a raccroché. J'ai bu le café que m'a tendu Maria sur le pas de la porte et j'ai filé en tacot à Boulogne. Il m'a fallu presque trois quarts d'heure pour arriver. Devant l'hôtel, il y avait un car de Police Secours, et un autre des Sapeurs-Pompiers avec un matériel de réanimation.

J'ai dû fendre une foule de badauds pour approcher de la porte mais les flics m'empêchèrent d'entrer. La patronne me montra du doigt à un jeune type qui devait être inspecteur ou commissaire et qui donna l'ordre qu'on me laissât passer.

Mais il y eut un remue-ménage encore dans l'escalier et un bruit de grosses bottes, et les pompiers redescendirent en baissant les bras, grimace aux lèvres.

Et derrière eux des brancardiers descendirent deux housses contenant des corps. Ils s'arrêtèrent dans le hall, près de nous, avant de traverser la foule massée devant l'hôtel.

— Pourquoi m'avoir fait venir ? ai-je demandé à la patronne. Pour moi, ça va, j'ai déjà donné.

— Ça vous dit rien ? a demandé le flic en tirant sur une fermeture Éclair, puis sur l'autre, faisant apparaître les visages de Samantha puis de Léo.

— Non, rien.

Le flic remballa ses cadavres et fit signe aux brancardiers de mettre tout ça dans les fourgons.

— Qu'est-ce qui s'est passé ? ai-je demandé à la patronne au nez de cochonne.

— Ils sont arrivés hier soir, ils ont pris la chambre que vous connaissez, ils ont insisté pour avoir celle-là, c'est ce qui m'a troublée. Ils avaient l'air très épris l'un de l'autre, et en même temps ils n'étaient pas gais. Ils n'avaient besoin de rien. J'ai entendu les deux coups de feu très rapprochés ce matin, vers huit heures, peu avant que je vous appelle. Vous savez pourquoi, vous qui avez l'air de tout savoir ? Vous ne les connaissiez vraiment pas ?

— Je ne veux pas les avoir connus. Je crois que celui qui commence à tuer se tue peu à peu lui-même. Pour un couple c'est encore pire, au lieu d'avoir des enfants, ils ont des cadavres. Et ces deux-là avaient perdu le nord, et le sud aussi. Ils étaient enlacés, dans la mort ?

— Non, ils se tournaient le dos. Au-dessus du drap.

— Tant mieux. Vous avez vu les fesses de la femme, peut-être ?

— Non.

— Pas de cul. Tant pis.

Viens poupoule

Enfin j'ai vu Cheryl. Je lui avais téléphoné et elle avait dit oui, on peut se voir. Mais pas ce soir, ni cet autre, ni pour déjeuner, ni ce week-end non plus et on avait laissé passer du temps, et elle m'avait rappelé et finalement comme elle se rapprochait de moi et moi d'elle on a fini par se retrouver par hasard et c'était déjà le printemps. Je n'avais pas encore vu les changements dans son salon ni son appartement mais elle, elle avait changé de coiffure, et de look, elle avait l'air printanier. Nous avons marché sur les quais derrière Notre-Dame, pour que Notre-Dame ne nous voie pas.

— Comme ça, ai-je dit, tu ressembles à quelqu'un que je n'ai pas connu.

— J'ai l'impression que t'es encore plus grand qu'avant. Fais voir tes bras.

J'ai étiré mes bras comme le monsieur Chatouille de Roger Hargreaves et j'ai fait le con pour l'amuser. J'ai chanté *Viens poupoule* et elle a fredonné *La Complainte du Poulpe au Sahara*. Plus tard je lui ai demandé ce qu'elle pensait de Milarepa, si elle avait lu le livre. Elle a répondu que c'étaient des conneries. Que dans son salon, il y avait des revues, des magazines, des mots croisés, pas des livres.

— Gabriel, il y a trop de confusion partout, il faut que toi, tu sois clair, que tu sois fort, j'ai rien compris à ce qui s'est passé. Je voulais plus te voir, tu n'étais plus toi-même. Gérard, Maria, Vlad et les autres non plus n'ont rien compris. Tu m'as fait peur.

— J'ai perdu un ami, Tchang, et je me suis perdu, alors je t'ai perdue. C'est simple. Personne ne sauve personne. Mais nous sommes vivants, Cheryl, et les autres sont morts, et nous n'avons tué personne. Et le printemps revient.

— Tu es mon héros. Un peu concon, un peu zinzin, un peu carac', mais mon héros quand même. Drôle de héros qui sait même pas se donner un coup de peigne. Tiens, il faudra que je t'arrange un peu les cheveux, je vais te reprendre en main.

— Tonds-moi.

— Tu n'as pas à avoir honte.

— J'ai eu honte, mauvaise conscience, quand Tchang est mort, il m'a tué. À présent, j'ai une certaine compassion, envers les autres et moi-même. Je crois que si on ne voit pas le monde avec les yeux d'un pauvre, on ne voit rien. Je n'ai de leçons à donner à personne, je ne me mêle plus de rien.

Là-dessus deux mômes ont commencé à se foutre sur la gueule juste sous nos yeux, alors j'ai lâché Cheryl et j'en ai pris un pour taper sur l'autre, joyeusement, sans méchanceté et en cadence, en leur assenant à tous deux de larges et nourrissants passages de l'hagiographie roborative de Jetsün Milarepa, moine tibétain du XIᵉ siècle après Jésus-Christ et avant le Poulpe.

Retrouvez les aventures du Poulpe
aux Éditions Baleine.
Plus de cinquante titres déjà parus.

Achevé d'imprimer en Europe
à Pössneck (Thuringe, Allemagne)
en juillet 2000 pour le compte de EJL
84, rue de Grenelle 75007 Paris
Dépôt légal juillet 2000
1er dépôt légal dans la collection : mai 1999

Diffusion France et étranger : Flammarion